kids
注音彩图版

我的第1套
十万个为什么

Tell me why

总策划 | 邢涛
主编 | 龚勋

神奇的宇宙

汕头大学出版社

探秘浩渺宇宙
遨游美丽地球

　　自古以来,宇宙在人类的心目中一直是神秘的:宇宙到底有多大? 太阳是一个大火球吗? 外星人的消息可信吗……近一百年来,人类对宇宙的研究已经由地球所在的太阳系逐步扩展到了更广阔的星际空间,宇宙的神秘面纱也被一层层揭开。为了让孩子们更好地学习宇宙知识,我们精心编写了这本《我的第1套十万个为什么·神奇的宇宙》。

　　在这本书中,孩子们可以拜访宇宙大家庭中的各个成员,如浩渺无边的宇宙整体、庞大的银河系、人类所处的太阳系等;可以了解人类为探索宇宙所发明的各种航天工具,如宇宙飞船,航天飞机等;还可以充分认识我们美丽的地球家园,了解地球的年龄、外貌和运动等,并进一步了解与我们日常生活密切相关又变幻万千的气候气象……读完本书,孩子们将对宇宙和地球有更全面、更深入的认识。

我的第 1 套十万个为什么 [神奇的宇宙]

CONTENTS

第 **1** 章

浩瀚无边的宇宙

目录

我的第 1 套十万个为什么 [神奇的宇宙]

CONTENTS

第 **2** 章

深入太空的航天技术

第 **3** 章

美丽的地球家园

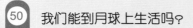

CONTENTS

第 **4** 章

风云变幻的气象

浩瀚无边的宇宙

自古以来，宇宙在人类的心目中一直是神秘而不可知的：宇宙到底有多大？太阳系是如何诞生的？星云是一种"云彩"吗？月亮为什么会变脸？外星人的消息可信吗……让我们来亲近宇宙，看看它究竟有多少秘密吧！

宇宙到底有多大？

天文学中，宇宙指由实际观测到或假想的天体及现象组成的无限空间。目前，科学家观测到的最远的星系离我们 2400 亿光年，也就是说，一束光以每秒 30 万千米的速度从该星系发出，经过 2400

NO.1
球形

NO.2
克莱因瓶形

NO.3
面包圈形

科学家猜测的几种宇宙形状

宇宙太大了，千里眼都不能看到它的边际。

任何物质都有它的中心，那么宇宙的中心又在哪里呢？

yì nián cái néng dào dá dì qiú　zhè　　yì guāng nián biàn shì wǒ men jīn tiān suǒ
亿年才能到达地球。这2400亿光年便是我们今天所

zhī de yǔ zhòu de fàn wéi　　jiù mù qián ér yán　　wǒ men kě yǐ guān cè dào
知的宇宙的范围。就目前而言，我们可以观测到

de yǔ zhòu shì yǐ dì qiú wéi zhōng xīn　yǐ　　yì guāng nián de jù lí
的宇宙是以地球为中心、以2400亿光年的距离

wéi bàn jìng de qiú xíng kōng jiān　dāng rán　　dì qiú bú shì yǔ zhòu de
为半径的球形空间。当然，地球不是宇宙的

zhōng xīn　yǔ zhòu yě wèi bì shì qiú tǐ　zhè zhǐ shì zhēn duì mù qián
中心，宇宙也未必是球体，这只是针对目前

de guān cè néng lì ér yán de
的观测能力而言的。

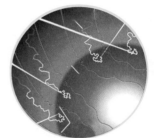

宇宙射线来自于太阳和宇宙深处。

guāng nián shì shí jiān dān wèi ma
光年是时间单位吗?

guāng nián tīng qǐ lai sì hū shì yòng lái jì liàng shí jiān de
光年听起来似乎是用来计量时间的，

shí jì shang　tā shì yì zhǒng cháng dù dān wèi　　tā shì zhǐ guāng
实际上，它是一种长度单位。它是指光

zài zhēn kōng zhōng yì nián shí jiān li zǒu guò de lù chéng dà yuē
在真空中一年时间里走过的路程，大约

shì　　　　yì qiān mǐ　guāng nián de cháng dù zhēn bù kě xiǎng
是94605亿千米。光年的长度真不可想

xiàng a　guāng nián yì bān yòng lái liáng dù hěn dà de jù lí
象啊！光年一般用来量度很大的距离，

rú tài yáng xì gēn lìng yì héng xīng xì de jù lí
如太阳系跟另一恒星系的距离。

浩瀚无边的宇宙

宇宙自产生后就在不断地膨胀。

银河系会流动吗？

银河系是由恒星和星系物质组成的巨大的盘状系统。在银河系边缘，恒星以及其他的一些物质受到的引力较小，因而缓慢地围绕着银河系中心运行。在银河系中间的隆起部分，恒星受到的引力来自四面八方，运行的速度也比较慢。处于银河系中心恒星密集地区与

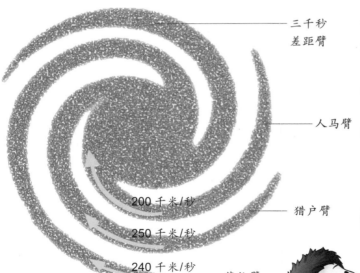

三千秒差距臂

人马臂

200千米/秒

猎户臂

250千米/秒

240千米/秒

英仙臂

银河系各部分自转的速率差异

银河会像地上的河流一样流动吗？

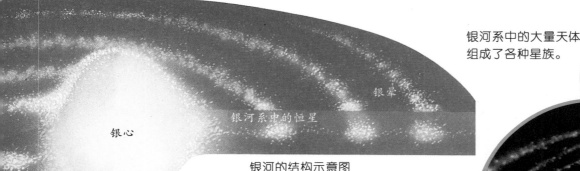

银心

银河系中的恒星

银晕

银河的结构示意图

银河系中的大量天体组成了各种星族。

yín hé xì biān yuán zhī jiān de tiān tǐ　　shòu dào lái zì yín hé
银河系边缘之间的天体，受到来自银河

xì zhōng xīn de shù shí yì kē héng xīng yǐn lì de yǐng xiǎng　yùn dòng
系中心的数十亿颗恒星引力的影响，运动

sù dù zuì kuài de　　dà yuē yǐ měi miǎo　　qiān mǐ de sù dù zài
速度最快的，大约以每秒250千米的速度在

tài kōng zhōng chuān suō　　suǒ yǐ　　yín hé xì kàn qi lai jiù xiàng yì tiáo
太空中穿梭。所以，银河系看起来就像一条

liú dòng de hé
"流动的河"。

银河系有四条旋臂，图为靠外的英仙臂。

用电波观测到的银河系

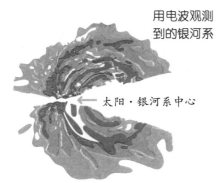

← 太阳·银河系中心

yín hé xì hé yín hé shì yì huí shì ma
银河系和银河是一回事吗?

bú shì　yín hé xì shì yóu　　　　　yì kē yǐ shàng de héng xīng zǔ chéng de pán zhuàng de
不是。银河系是由1000亿颗以上的恒星组成的盘状的

héng xīng xì tǒng　　tài yáng xì jiù chǔ yú zhè ge xì tǒng zhī zhōng　　zhè ge xì tǒng li de
恒星系统，太阳系就处于这个系统之中，这个系统里的

héng xīng　xīng yún děng zài tiān qiú shang tóu yǐng zuì mì jí de bù fen jiù shì wǒ men kàn
恒星、星云等在天球上投影最密集的部分就是我们看

dào de yín hé　　suǒ yǐ　yín hé hé yín hé xì shì liǎng gè bù tóng de gài niàn
到的银河。所以，银河和银河系是两个不同的概念。

黑洞好像是个贪婪的家伙哟！

hēi dòng shì hēi sè de wú dǐ dòng ma
黑洞是黑色的无底洞吗？

cóng míng zi kàn　　　hēi dòng　　hěn róng　yì　ràng rén xiǎng　xiàng chéng yí　gè　hēi sè
从 名 字 看，"黑 洞" 很 容 易 让 人 想 象 成 一 个 黑 色

de　wú dǐ dòng　　ér shì shí shang bìng bú shì zhè yàng de　　　hēi dòng　qí shí shì
的 "无 底 洞"，而 事 实 上 并 不 是 这 样 的。"黑 洞" 其 实 是

yì zhǒng tiān tǐ　dāng yì xiē dà de héng xīng zhú jiàn shuāi lǎo sǐ wáng de shí hou　tā men
一 种 天 体。当 一 些 大 的 恒 星 逐 渐 衰 老 死 亡 的 时 候，它 们

黑洞是一种天体。

huì màn màn tān suō　suǒ yǒu wù zhì　jí zhōng zài　yí　gè jiào zuò hēi dòng de　mì
会 慢 慢 坍 缩，所 有 物 质 集 中 在 一 个 叫 做 黑 洞 的 密

jí de qiú tǐ li　　hēi dòng yǒu zhe chāo hū xiǎng xiàng de qiáng
集 的 球 体 里。黑 洞 有 着 超 乎 想 象 的 强

经过黑洞周围的物质
都会被"吃"掉。

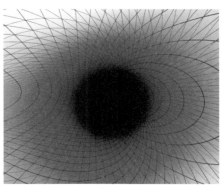

黑洞是宇宙中最神秘的物体。

dà yǐn lì　　 néng xī zǒu tā zhōu wéi de rèn hé dōng xi
大引力，能吸走它周围的任何东西，

jiù lián guāng xiàn yě táo bù chū tā　de shǒu zhǎng
就连光线也逃不出它的手掌

xīn　　　　hēi dòng　zhēn de jiù xiàng shì yí gè
心。"黑洞"真的就像是一个

shēn bù kě cè de wú dǐ dòng　suǒ yǒu de wù
深不可测的无底洞，所有的物

zhì dào le tā nàr　　　jiù zài yě bié xiǎng
质到了它那儿，就再也别想

táo lí le
逃离了。

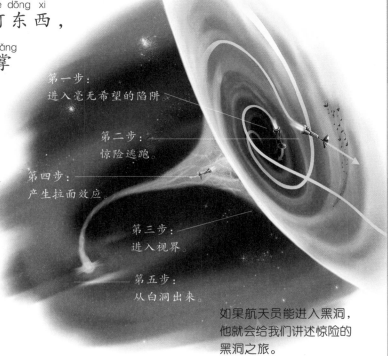

第一步：
进入毫无希望的陷阱

第二步：
惊险逃跑

第四步：
产生拉面效应

第三步：
进入视界

第五步：
从白洞出来

如果航天员能进入黑洞，他就会给我们讲述惊险的黑洞之旅。

天鹅座 X-1 是被人类发现的第一个黑洞。

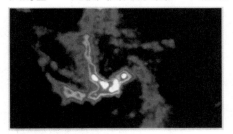

人马座中的黑洞

jì rán cún zài hēi dòng　nà yǒu méi yǒu bái dòng ne
既然存在黑洞，那有没有白洞呢？

mù qián　　bái dòng hái shì yì zhǒng lǐ lùn mó xíng　shì kē xué jiā yù yán de xìng
目前，白洞还是一种理论模型，是科学家预言的性

zhì yǔ hēi dòng xiāng fǎn de tiān tǐ　hái méi yǒu bèi guān cè suǒ zhèng shí　kē xué jiā
质与黑洞相反的天体，还没有被观测所证实。科学家

men rèn wéi　bái dòng zhǐ xiàng wài bù shū chū wù zhì hé néng liàng
们认为，白洞只向外部输出物质和能量。

恒星是一动不动的吗？

人类用肉眼就可以看到不少恒星。

古代天文学家认为，恒星在天空中的位置是固定不变的，所以给它起名为"恒星"，意为"永恒不变的星"。可是，通过观测，我们现在发现，恒星不但不是静止不动的，而且还大动特动！恒星运动的速度快得惊人，即使是速度

多数恒星的大气成分和太阳相同。

我们所看到的星星大多是恒星。

这是古代恒星星座图。

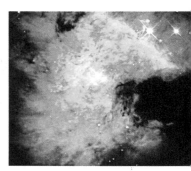

恒星诞生于星云之中。

màn de yě huì zài měi miǎo zhōng yùn dòng jǐ shí
慢 的 也 会 在 每 秒 钟 运 动 几 十

qiān mǐ　　yóu yú héng xīng bù tíng de yùn dòng
千 米 。 由 于 恒 星 不 停 地 运 动 ,

xīng zuò de xíng zhuàng yě zài bù tíng de biàn dòng　　zhǐ bú
星 座 的 形 状 也 在 不 停 地 变 动 。 只 不

guò　　tā men jù lí wǒ men shí zài tài yáo yuǎn le　　zhǐ
过 , 它 们 距 离 我 们 实 在 太 遥 远 了 , 只

yǒu jīng guò jǐ bǎi nián　　rén men cái néng fā xiàn xīng zuò de
有 经 过 几 百 年 , 人 们 才 能 发 现 星 座 的

xíng zhuàng yǔ　yǐ qián xiāng bǐ　fā shēng le biàn huà
形 状 与 以 前 相 比 发 生 了 变 化 。

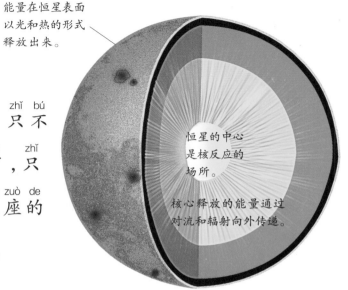

能量在恒星表面以光和热的形式释放出来。

恒星的中心是核反应的场所。

核心释放的能量通过对流和辐射向外传递。

恒星内部结构示意图

恒星能通过自身的能量发光发热。

nǎ kē héng xīng lí wǒ men zuì jìn
哪 颗 恒 星 离 我 们 最 近 ?

dāng rán shì wǒ men zuì shú shí de tài yáng le　　tài
当 然 是 我 们 最 熟 识 的 太 阳 了 ! 太

yáng shì lí wǒ men zuì jìn de héng xīng　　tā de guāng máng
阳 是 离 我 们 最 近 的 恒 星 , 它 的 光 芒

dào dá dì qiú shang zhǐ xū yào　　fēn　　miǎo　chú le tài
到 达 地 球 上 只 需 要 8 分 18 秒 。 除 了 太

yáng zhī wài　　lí wǒ men zuì jìn de héng xīng shì bǐ lín xīng
阳 之 外 , 离 我 们 最 近 的 恒 星 是 比 邻 星 ,

tā yǔ dì qiú de jù lí yuē wéi　　　　guāng nián
它 与 地 球 的 距 离 约 为 4.24 光 年 。

太阳系是如何诞生的？

我们就处在太阳系之中，那么你了解它吗？太阳系的成员很多，主要有太阳、大行星及其卫星、小行星、彗星、流星体和行星际物质等。关于太阳系的诞生，科学家们先后提出了星云说、撞击说和遭遇说三种观点，但多数科学家认为，太阳系的成员都来自于气体和微尘构成的旋

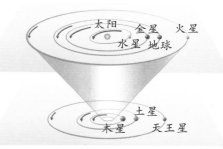

太阳系八大行星的轨道

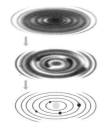

星云说认为，旋涡状星云冷缩后外围物质分离而形成了行星。

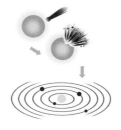

撞击说认为，彗星等其他天体和太阳相撞后，它们的残骸逐渐形成了行星。

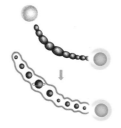

遭遇说认为，其他天体吸引出太阳内部的物质，从而形成行星。

zhuǎn yún qì   yě jiù shì tài yáng xīng yún   tài yáng xīng
转云气，也就是太阳星云。太阳星

yún màn màn de zhuàn dòng   yóu yú zhòng lì zhú jiàn níng jù bìng
云慢慢地转动，由于重力逐渐凝聚并

qiě pū píng   zuì zhōng xíng chéng héng xīng hé xíng xīng   zhè
且铺平，最终形成恒星和行星。这

ge xīng yún zhōng xīn bù fen de wù zhì xíng chéng le tài yáng
个星云中心部分的物质形成了太阳

xì de zhōng xīn   yě jiù shì tài yáng
系的中心，也就是太阳。

太阳系的成员都
很守纪律。

太阳系的主要成员

水星
金星
地球
火星
小行星
太阳
木星
土星
天王星
海王星
彗星

太阳系很大，它诞生时的情景一定很壮观！

tài yáng xì de chéng yuán huì luàn pǎo ma
太阳系的成员会乱跑吗？

tài yáng xì de zhòng duō chéng yuán zhōng
太阳系的众多成员中，

tài yáng shì zhǐ huī zhě   yīn wèi tā de zhì liàng
太阳是指挥者，因为它的质量

zhàn tài yáng xì zǒng zhì liàng de   tā de yǐn lì kòng zhì
占太阳系总质量的99.8%，它的引力控制

zhe zhěng gè tài yáng xì   shǐ qí tā tiān tǐ zhǐ néng rào zhe tài yáng yǒu
着整个太阳系，使其他天体只能绕着太阳有

guī lǜ de xuán zhuàn   suǒ yǐ tài yáng xì de chéng yuán shǐ zhōng zài gè
规律地旋转。所以太阳系的成员始终在各

zì de guǐ dào shang yǒu zhì xù de yùn xíng   tā men hěn shǒu jì lǜ
自的轨道上有秩序地运行，它们很守纪律，

cóng bú luàn pǎo
从不乱跑。

太阳是一个大火球吗？

相信小朋友都会有这种感觉——夏天的时候，太阳简直要晒死人了，它像个烧不尽的大火球一样，源源不断地发出光和热。原来，正如你们想象的一样，太阳就是一个由炽热的气体组成的大火球。太阳的

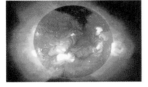

太阳的表层非常活跃。

无线电波　红外线　可见光　　紫外线

太阳光的组成

太阳能可以转换成其他形式的能，所以说太阳是万物之源。

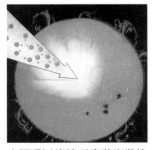

太阳通过热核反应发光发热。

大气中主要成分是氢气与氦气，氢不断地在太阳的"肚子"里转化成氦，这个变化就是人们所说的热核反应。太阳内部的热核反应能够产生巨大的热量，使其内部温度变得很高，这些热量足以使太阳放射出强烈的光芒。

太阳发出的光是一种原子能。

人类在很多方面利用了太阳能，这是宇宙飞船使用的太阳能电池板。

为什么不可以直接看太阳？

太阳的光芒非常耀眼，如果人们直接看太阳，阳光就会损伤眼球的角膜，严重的甚至会使人失明，所以小朋友们千万不要用眼睛或望远镜直接观察太阳，而要透过适当的滤镜看太阳。同时，摄影者也不可以用没有采取滤镜保护措施的相机直接拍摄太阳。

为什么太阳脸上会长"雀斑"？

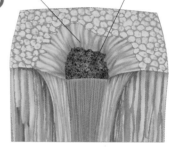

半影
这是本影外围较亮、较热的区域。

本影
这是太阳黑子较暗、较冷的中心。

黑子结构示意图

太神奇了，太阳的脸上居然也会长出"雀斑"！其实，那些"雀斑"并不真的是太阳脸上的脏东西，而是太阳表面光球层

太阳脸上也有雀斑？好奇怪啊！

根据黑子位置的变化，可以推断出太阳每天也在不停地转动着。

上巨大的气流旋涡，只不过因为高温的光球层太明亮了，所以这些旋涡看上去就显得很"黑"。这些"小雀斑"就是大人们常说的太阳黑子！不要小瞧这些"小雀斑"，它们可是太阳活动的明显标志。而且，在这些小家伙活动频繁的太阳磁场转变。　　　磁场线旋转缠绕。　　　磁场线弯结穿破表层。

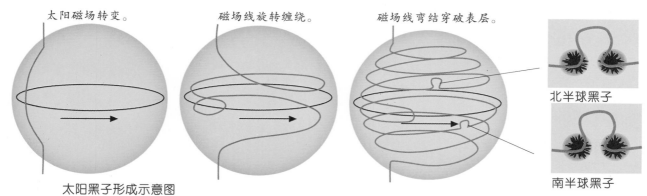

太阳黑子形成示意图

北半球黑子

南半球黑子

shí hou　zhěng gè　tài yáng xì　dōu huì shòu dào yǐng xiǎng　shuō bú dìng dì qiú
时候，整个太阳系都会受到影响，说不定地球

shang hái huì yīn cǐ chū xiàn dà guī mó de　zì rán
上还会因此出现大规模的自然

zāi hài ne
灾害呢！

太阳黑子是太阳活动中
最明显的现象。

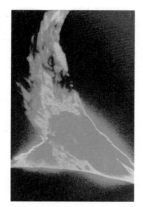

耀斑也是太阳的一种活
动，图中巨大的火舌从
太阳表面高高隆起，形
成了耀斑。

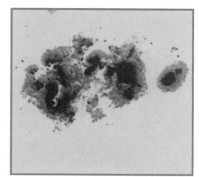

tài yáng hēi zǐ yǒu shòu mìng ma
太阳黑子有寿命吗?

　　　　tài yáng hēi zǐ yě shì yǒu shòu mìng de　　zhè xiē hēi zǐ de shòu·mìng hé tā men de dà xiǎo yǒu guān
　　太阳黑子也是有寿命的！这些黑子的寿命和它们的大小有关：

hēi zǐ yuè dà　　shòu mìng yuè cháng　　yì bān de hēi zǐ shòu mìng dōu shì jǐ tiān　jǐ shí tiān　gè bié shòu
黑子越大，寿命越长。一般的黑子寿命都是几天、几十天，个别寿

mìng duǎn de xiǎo hēi zǐ　　jǐ gè xiǎo shí hòu jiù huì xiāo shī
命短的小黑子，几个小时后就会消失。

为什么会发生日食?

bái tiān de shí hou　　tài yáng hū rán quē le yí dà bàn　　shèn zhì wán
白天的时候,太阳忽然缺了一大半,甚至完

quán bú jiàn le　　yuán lái shì fā shēng le rì shí　　rì shí shì tài yáng bèi yuè
全不见了,原来是发生了日食。日食是太阳被月

qiú suǒ yǎn gài shí chū xiàn de xiàn xiàng　　dāng yuè qiú yùn xíng dào tài yáng hé dì
球所掩盖时出现的现象。当月球运行到太阳和地

qiú zhī jiān　　yǔ tài yáng jí dì qiú pái chéng yì tiáo zhí xiàn shí　　yuè qiú jiù huì dǎng zhù tài yáng　　zhè shí
球之间,与太阳及地球排成一条直线时,月球就会挡住太阳,这时

日全食时,月亮和太阳在天空的大小相近。

jiù huì fā shēng rì shí　　rì shí kě fēn wéi rì
就会发生日食。日食可分为日

piān shí　　rì huán shí jí rì quán shí sān zhǒng
偏食、日环食及日全食三种。

yì nián zhōng huì yǒu liǎng cì huò liǎng cì　yǐ shàng
一年中会有两次或两次以上

de rì shí fā shēng　　dàn yóu yú rì shí dài de
的日食发生,但由于日食带的

fàn wéi bìng bù guǎng kuò　　suǒ yǐ zài tóng yí dì
范围并不广阔,所以在同一地

qū píng jūn yào měi gé　　　nián cái kě yǐ kàn
区平均要每隔2~3年才可以看

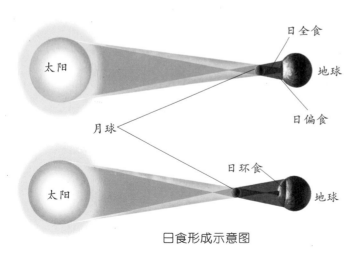

太阳　月球　日全食　地球　日偏食　日环食　太阳　地球

日食形成示意图

日全食发生时,月球边缘上低凹的地方会露出阳光,形成钻石指环。

日偏食发生的时候,太阳的一部分被月轮遮蔽。

dào yí cì rì piān shí rì quán shí jiù gèng jiā hǎn
到一次日偏食,日全食就更加罕

jiàn le nián yuè rì zhōng guó jìng nèi
见了。2009年7月22日,中国境内

guān shǎng dào le nián yí yù
观赏到了500年一遇

de rì quán shí qí guān
的日全食奇观。

发生日食时,天空没有平常那么明亮!

tài yáng hé yuè liang néng tóng shí chū xiàn zài tiān
太阳和月亮能同时出现在天

kōng ma
空吗?

tā men shì kě néng tóng shí chū xiàn de yuè liang měi gè yuè
它们是可能同时出现的。月亮每个月

dōu huì rào dì qiú yì zhōu cóng yuè chū dào yuè zhōng yuè liang zài tài
都会绕地球一周。从月初到月中,月亮在太

yáng de dōng biān zhè bàn gè yuè li yuè liang zài tài yáng luò shān yǐ
阳的东边,这半个月里月亮在太阳落山以

qián jiù huì shēng qi lai cóng yuè zhōng dào yuè mò yuè liang zài tài
前就会升起来。从月中到月末,月亮在太

yáng de xī biān dāng tài yáng shēng qi lai shí yuè liang hái liú zài tiān
阳的西边,当太阳升起来时,月亮还留在天

kōng zhōng
空中。

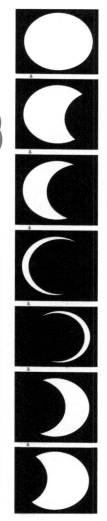

日食过程示意图

星云是一种"云彩"吗？

星云可并不是我们所看到的天空中的一朵朵白云，它是太阳系以外银河系以内的气云，都是由气体和尘埃组成的。各类星云中的气体和尘埃的含量是不同的。因为星云的外形像云雾一样，所以就被人们称做星云。星云有

蝴蝶星云是行星状星云的一种，因外观像蝴蝶而得名。

天鹰星云的中心部分为暗星云。

驾上云彩，去看看星云是不是和云彩长得一样！

明有暗，形状也各不相同，人们根据它们的特点做了划分：按明亮程度来分，星云可以分为亮星云和暗星云；按形状来分，又可分为弥漫星云、行星状星云等。

行星状星云具有较规则、较对称的圆盘形状。

乌头星云是一个暗星云。

蟹状星云属行星状星云，比太阳还亮75000倍。

是不是亮星云像白云一样白，暗星云像乌云一样黑？

亮星云是自己会发光的星云，大多是五颜六色的；而暗星云不但自己不会放光，还会阻挡它后面的星体发出来的光，所以看上去就是黑色的。不过，它们与我们在地球上看到的白云和乌云的样子是不同的。

谁会成为第二个太阳?

如果有一天,天上真的出现两个太阳,那么,那颗新出现的太阳一定是木星!这是因为木星并不像水星、金星、地球和火星那样有着固体的外壳,它穿着一件由气体做成的外衣,可以像太阳一样发出热量和五光十色的光芒。而且

木星每9小时50分钟就自转一周。

大红斑是木星上最大的风暴气旋。

木星的四颗卫星

mù xīng kě yǐ shuō shì tài yáng xì zuì jiàn zhuàng de yí gè hái zi tā
木星可以说是太阳系最健壮的一个"孩子"，它

de tǐ jī hé zhì liàng dōu shì bā dà xíng xīng zhōng zuì dà de suǒ yǐ yǒu
的体积和质量都是八大行星中最大的。所以有

de kē xué jiā rèn wéi dà yuē yì nián hòu mù xīng huì biàn de hé
的科学家认为，大约30亿年后，木星会变得和

tài yáng yí yàng dà fàng chū dà liàng guāng hé rè chéng wéi lìng yí
太阳一样大，放出大量光和热，成为另一

gè tài yáng
个太阳。

八大行星时刻
不停地运动着。

太阳系的每颗行星都
在自己的轨道内围绕
太阳转动。

lèi mù xíng xīng dōu yǒu nǎ xiē
类木行星都有哪些?

lèi mù xíng xīng dōu shì tǐ jī shí fēn jù dà de xíng xīng qí chéng
类木行星都是体积十分巨大的行星，其成

yuán yí gòng yǒu sì wèi chú le mù xīng hé tǔ xīng wài hái yǒu tiān wáng xīng hé hǎi
员一共有四位，除了木星和土星外，还有天王星和海

wáng xīng tā men de gòng tóng diǎn shì tǐ jī dà zhì liàng dà dàn mì dù xiǎo
王星。它们的共同点是体积大、质量大，但密度小，

jù yǒu nóng mì de dà qì tiān wáng xīng hé hǎi wáng xīng lí tài yáng hèn yuǎn
具有浓密的大气。天王星和海王星离太阳很远，

yòu bèi chēng wéi yuǎn rì xíng xīng
又被称为"远日行星"。

土星和木星很亲
近，它们都是类
木行星。

wèi shén me shuō tiān wáng xīng hěn lǎn
为什么说天王星很"懒"？

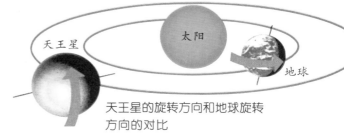

天王星的旋转方向和地球旋转方向的对比

tiān wáng xīng shì wǒ men néng yòng ròu yǎn kàn dào
天王星是我们能用肉眼看到

de zuì àn de xíng xīng　tiān wáng xīng yòu shì tài yáng
的最暗的行星。天王星又是太阳

xì dà jiā tíng zhōng zuì lǎn duò de　hái zi　　yīn
系大家庭中最懒惰的"孩子"。因

wèi tiān wáng xīng bù guǎn zì zhuàn hái shi gōng zhuàn　dōu shì　　tǎng　zhe jìn xíng de　yóu cǐ　yǒu rén cāi
为天王星不管自转还是公转，都是"躺"着进行的。由此，有人猜

cè tiān wáng xīng kě néng shì hěn jiǔ　yǐ qián bèi lìng yí gè tiān tǐ
测天王星可能是很久以前被另一个天体

zhuàng dǎo de　suǒ yǐ biàn chéng le xiàn zài zhè zhǒng zhàn bù
撞倒的，所以变成了现在这种站不

qǐ shēn de mú yàng
起身的模样。

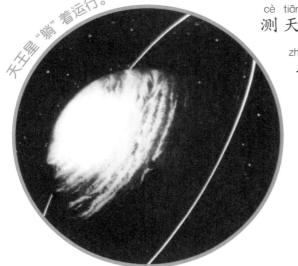

天王星"躺"着运行。

天王星像一个懒惰的小朋友，总是爱躺着。

海王星上为什么总刮风暴？

海王星上的风暴和旋风会呼啸着到处乱窜，风速甚至赛过了地球上飞得最快的飞机，这是怎么回事呢？原来，海王星自转一周的时间是 16.11 小时，而它的云层需要 22 小时才能绕海王星的赤道运行一周。这样，海王星星体的旋转与大气的旋转形成错位，所以风暴就刮个不停。

在海王星蓝色的表面，有被称为大黑斑的黑色风暴眼。

"旅行者" 2 号拍摄到了娥眉状的海王星卫星——海卫一。

巨大的风暴眼

月食的连续照片

为什么月亮会变脸?
wèi shén me yuè liang huì biàn liǎn

wǒ men wǎn shang tái tóu kàn tiān kōng shí zǒng huì fā xiàn yuè liang
我们晚上抬头看天空时,总会发现月亮

měi tiān dōu zài biàn huàn zhe bù tóng de xíng zhuàng nán dào yuè liang yě huì biàn liǎn zài yuè liang rào dì
每天都在变换着不同的形状,难道月亮也会"变脸"?在月亮绕地

qiú gōng zhuàn de guò chéng zhōng dāng tā zhuàn dào dì qiú yǔ tài yáng zhī jiān bèi yáng guāng zhào dào de yuè
球公转的过程中,当它转到地球与太阳之间,被阳光照到的月

我们猫头鹰常在夜晚活动,见过月亮变脸。

上弦月西沉时的情景

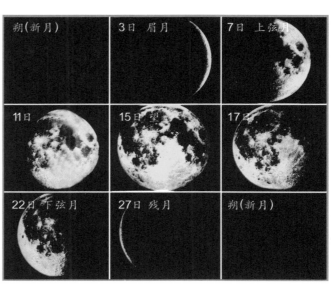

月相是从地球上看到的月球发亮部分的形态。

24

qiú nà yí miàn bèi duì zhe dì qiú shí wǒ men kàn bú dào yuè
球那一面背对着地球时，我们看不到月

liang yuè liang yòu zhuàn a zhuàn bèi yáng guāng zhào dào
亮。月亮又转啊转，被阳光照到

de nà miàn yǒu xiǎo bù fen duì zhe dì qiú shí kàn shang
的那面有小部分对着地球时，看上

qu xiàng yì bǎ lián dāo jiù zhè yàng dào le shí wǔ de shí hou
去像一把镰刀。就这样，到了十五的时候，

地球　月球

月球运动示意图

shòu yáng guāng zhào shè de yuè qiú liang miàn zhèng duì zhe dì qiú yuè liang jiù biàn chéng le yuán pán zi yuè
受阳光照射的月球亮面正对着地球，月亮就变成了圆盘子。月

liang zhōu ér fù shǐ de zhuàn dòng yě jiù yǒu le yuán quē de
亮周而复始地转动，也就有了圆缺的

biàn liǎn biǎo qíng
"变脸表情"。

月球以反射太阳
光而发亮。

gāng shēng qǐ de yuè liang wèi shén me tè bié dà
刚升起的月亮为什么特别大?

qí shí zhè shì yì zhǒng cuò jué yuè liang gāng shēng qǐ shí wǒ
其实这是一种错觉。月亮刚升起时，我

men hěn zì rán de ná tā hé dì píng xiàn shang de jiàn zhù wù huò qí tā wù
们很自然地拿它和地平线上的建筑物或其他物

tǐ zuò bǐ jiào jiù huì jué de yuè liang tè bié dà děng dào yuè liang shēng
体做比较，就会觉得月亮特别大；等到月亮升

dào gāo kōng hòu méi yǒu shén me dōng xi kě yǐ hé yuè liang bǐ jiào dà xiǎo
到高空后，没有什么东西可以和月亮比较大小，

wǒ men jiù huì jué de yuè liang xiǎo le yì xiē
我们就会觉得月亮小了一些。

星星都是金黄色的吗？

天上的星星不仅有明有暗，而且还有不同的颜色呢！星星的颜色是由专用的仪器探测出来的。星星不同的颜色由不同的温度决定：发蓝的星星表面温度最高，发红的星星表面温度最低，黄色和白色的星星表面温度居中。科学家们可以根据星星的

颜色不同的星星

星星也像地上的花朵一样色彩绚丽吗？

我们用肉眼在满天繁星中很难分出不同星星的颜色。

夜空中星星的亮度是不同的。

形状各异的星星

恒星表面温度的高低决定了它所发出的光的颜色。

yán sè lái pàn duàn mǒu kē xīng de wēn dù bú guò
颜色来判断某颗星的温度。不过，

wǒ men yòng ròu yǎn hěn nán fēn biàn chū zhè xiē yán sè
我们用肉眼很难分辨出这些颜色。

xīng xing de xíng zhuàng dōu yí yàng ma
星星的形状都一样吗？

xīng xing de xíng zhuàng gè bù xiāng tóng héng xīng yóu rán
星星的形状各不相同。恒星由燃

shāo de qì tǐ gòu chéng yóu yú yǐn lì de kòng zhì qì tǐ
烧的气体构成，由于引力的控制，气体

bú huì sàn kāi héng xīng chéng yuán xíng xīng xing zài gāng
不会散开，恒星呈圆形。行星在刚

xíng chéng shí chéng chì rè de róng huà zhuàng tài bìng qiě zài
形成时呈炽热的熔化状态，并且在

bú duàn de xuánzhuǎn suǒ yǐ chéng qiú xíng xīng yún xiǎo xíng
不断地旋转，所以呈球形。星云、小行

xīng hé wèi xīng de xíng zhuàng zé hěn bù guī zé
星和卫星的形状则很不规则。

恒星内部的热核聚变反应产生的能量使我们看到了恒星的光芒。

能量在恒星表面以光和热的形式释放出来。

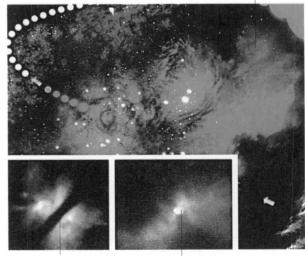

核心释放的能量通过对流和辐射向外传递。

恒星的中心是核反应的场所。

27

为什么要给星星取名字?

南半球星座图

北半球星座图

晴朗夜空中的满天星斗,有明有暗,闪闪烁烁,我们很难把各个星星区分开。人们通过观察发现,虽然天上的星星每天都在不停地运动,但是星星之间的相对位置是基本不变的,四季星空的变化也是有规律的。于是,人们就给星星取了名字。这就和每个人必须有名字,别人才能把我们区分开来是一样的道理。人们还以丰富的想象把每一群星星连接起来,组成星座。现在,国际共同认可的星座共有88个。

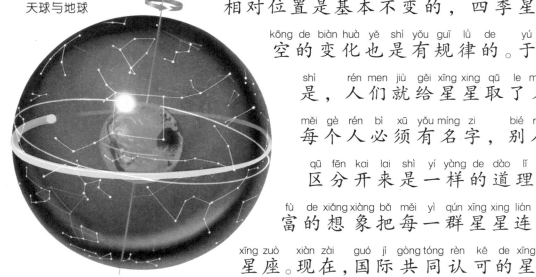

天球与地球

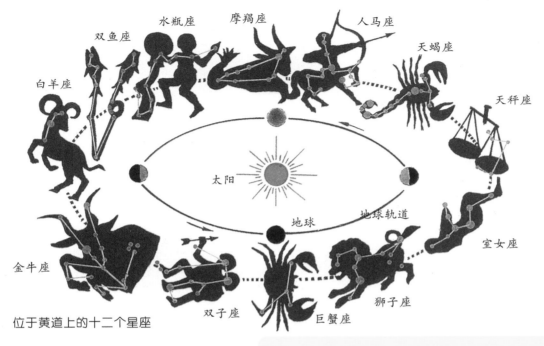

双鱼座 水瓶座 摩羯座 人马座 天蝎座

白羊座

天秤座

太阳

地球 地球轨道

室女座

金牛座

双子座 巨蟹座 狮子座

位于黄道上的十二个星座

这个古老的钟盘上装饰着黄道十二星座的图案。

shì jiè shang suǒ yǒu rén kàn dào de xīng zuò dōu yí yàng ma
世界上所有人看到的星座都一样吗?

bù yí yàng wǒ men néng kàn dào shén me yàng de xīng zuò qǔ jué
不一样。我们能看到什么样的星座取决

yú suǒ chǔ de wèi zhì yì xiē xīng zuò zhǐ yǒu zhù zài běi bàn qiú de
于所处的位置。一些星座只有住在北半球的

rén néng kàn dào lìng wài yì xiē xīng zuò zhǐ yǒu zhù zài nán bàn qiú de
人能看到,另外一些星座只有住在南半球的

rén cái néng kàn dào ér zhù zài chì dào shang de rén zé néng kàn dào suǒ
人才能看到。而住在赤道上的人则能看到所

yǒu de xīng zuò dàn zhè xū yào huā yì nián de shí jiān
有的星座,但这需要花一年的时间。

织女星和牛郎星能会面吗？

传说中，变成牛郎星和织女星的恩爱夫妻可以在七月初七鹊桥相会，那么这两颗星真的可以会面吗？事实上，牛郎星和织女星相距特别遥远。它们互相在电话里问声好都非常困难，更不要说见面约会了。所以，织女星和牛郎星相会只是人们的一种想象。

现在的七月初七成为许多相爱的人约会的日子。

冬天的银河

织女星

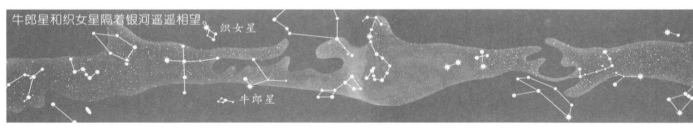

牛郎星和织女星隔着银河遥遥相望。

织女星

牛郎星

为什么北极星能指示方向?

北天极是地球自转轴的方向,北极星就在离北天极不到1度的地方。所以,在我们看来,群星都在围绕北极星旋转。北极星最靠近正北的方向,在我们看来,它的位置几乎不变,所以千百年来人们靠它的星光来辨识方向。其实,北极星也在沿着一个很小的圆圈绕北天极旋转,但我们的肉眼是看不出来的。

我们可以用北斗七星斗柄判定方位。

北极星位于小熊星座的尾巴上。

北极星是我们出行的最佳"指北针"。

北斗七星勺口两颗星的延长线处有一颗亮星,那就是北极星。

31

彗星为什么披着长发？
huì xīng wèi shén me pī zhe cháng fà

在宇宙中有这样一种奇异的星星：它的头部
zài yǔ zhòu zhōng yǒu zhè yàng yì zhǒng qí yì de xīng xing tā de tóu bù

闪着亮光，后面拖着飘逸的"长发"。这就是所说的
shǎn zhe liàng guāng hòu miàn tuō zhe piāo yì de cháng fà zhè jiù shì suǒ shuō de

彗星。彗星就像是一个长发美女，
huì xīng huì xīng jiù xiàng shì yí gè cháng fà měi nǚ

吸引着不少人去观测。它
xī yǐn zhe bù shǎo rén qù guān cè tā

为什么长着长发呢？其
wèi shén me zhǎng zhe cháng fà ne qí

实，彗星的长发是它
shí huì xīng de cháng fà shì tā

的彗尾，彗尾不是
de huì wěi huì wěi bú shì

生来就有的。只
shēng lái jiù yǒu de zhǐ

彗星的彗尾可以长
达数亿千米。

彗星的形成过程

1811 II
1843 I
地球
金星
1811 I
水星
池谷张彗星
哈雷彗星

彗星的彗尾很长，图中的
5 个彗星是已知彗星中尾
巴最长的。

bú guò yóu yú huì xīng yóu bīng hé chén āi
不过由于彗星由冰和尘埃

děng wù zhì gòu chéng dāng tā lí tài yáng
等物质构成，当它离太阳

jiào jìn shí tài yáng rè liàng shè dào huì xīng
较近时，太阳热量射到彗星

shēn tǐ shang shǐ bīng wù zhì biàn
身体上，使冰物质变

chéng le qì tǐ qì tǐ zài tài
成了气体，气体在太

yáng fēng chuī fú xià jiù xíng chéng le
阳风吹拂下就形成了

piāo yì de cháng fà
飘逸的"长发"。

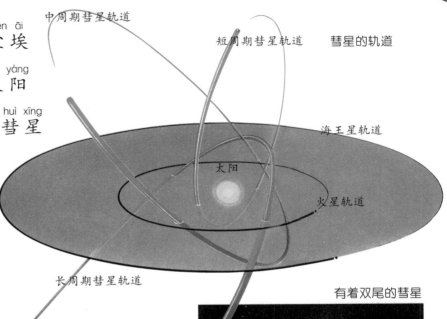

中周期彗星轨道
短周期彗星轨道　彗星的轨道
海王星轨道
太阳
火星轨道
长周期彗星轨道

有着双尾的彗星

huì xīng zhǐ yǒu yì tiáo huì wěi ma
彗星只有一条彗尾吗？

huì xīng bù yí dìng zhǐ yǒu yì tiáo huì wěi yǒu de huì xīng kě yǐ chū
彗星不一定只有一条彗尾。有的彗星可以出

xiàn liǎng tiáo shèn zhì duō tiáo huì wěi ne zhè shì yīn wèi huì wěi zhōng jì yǒu
现两条甚至多条彗尾呢！这是因为彗尾中既有

qì tǐ yòu yǒu chén āi dāng huì xīng yùn xíng dào lí tài yáng bǐ jiào jìn de
气体，又有尘埃，当彗星运行到离太阳比较近的

dì fang tóng shí yòu bǐ jiào huó yuè shí qì tǐ huì wěi hé chén āi huì wěi
地方，同时又比较活跃时，气体彗尾和尘埃彗尾

tóng shí chū xiàn jiù xíng chéng le duō tiáo huì wěi
同时出现，就形成了多条彗尾。

外星人的消息可信吗?

我们时常看到外星人驾飞碟光临地球的报道，这些消息可信吗？科学家认为，银河系中的行星与地球环境相似的多达100万颗，在这些行星上可能存在生命并进化出智慧生物。但目前发现外星人的消息多为人们的幻觉和曲解，大多不可信。

人类想象中的外星人

人类想象中的外星人基地

UFO是不是外星人乘载的工具呢？

"先驱者计划"是人类第一个外太空探索计划，这张由宇宙飞船携带的"名片"上刻有地球信息。

·第 **2** 章·
深入太空的航天技术

　　为了研究充满奥秘的宇宙，人类一直在努力建造能深入太空的工具。现在，随着科学技术的发展，人类已经发明和改进了许多亲近太空的工具，如人造卫星、太空探测器、空间站等。这些先进的工具到底是如何探测太空的？我们来看看！

为什么火箭能飞上天空?

火箭都是长得光秃秃的圆柱体,它没有飞机那样舒展的翅膀,却比飞机飞得更高。火箭不但体积大,重量也很惊人,那它是怎样飞上天空的呢?

火箭即将升入太空。酒泉卫星发射中心

其实,只要火箭得到的向上的推力超过地球对它的吸引力,火箭升空就不难了。火箭发射时,由发动机点火,产生大量的高温高压气流,这些气流

倒数计时是火箭发射时的关键一环。

火箭在上升途中,除了装载着人造卫星或空间探测器的部分外,其余部件会离开火箭。

只要向上的推力足够大,火箭就能飞起来啦!

cóng huǒ jiàn wěi bù de pēn guǎn zhōng xiàng wài pēn chū
从火箭尾部的喷管中向外喷出,

gěi huǒ jiàn yí gè xiàng qián tuī jìn de lì zhè ge
给火箭一个向前推进的力,这个

lì shǐ huǒ jiàn bú duàn jiā sù zuì hòu kè fú le zì shēn de zhòng lì lí
力使火箭不断加速,最后克服了自身的重力,离

kāi dì miàn jìn rù tài kōng
开地面,进入太空。

火箭发射的方向还真有讲究呢!

huǒ jiàn kě yǐ xiàng rèn yì fāng xiàng fā shè ma
火箭可以向任意方向发射吗?

bù kě yǐ kē xué jiā huì yán zhe dì qiú zì zhuàn de fāng
不可以。科学家会沿着地球自转的方

xiàng fā shè huǒ jiàn yīn wèi dì qiú shang de wù tǐ dōu suí zhe dì
向发射火箭。因为地球上的物体都随着地

qiú de zì zhuàn yì qǐ zhuàn dòng huǒ jiàn yě bú lì wài zhè yàng
球的自转一起转动,火箭也不例外。这样

fā shè néng ràng huǒ jiàn gēn suí zhe dì qiú de zì zhuàn fāng
发射能让火箭跟随着地球的自转方

xiàng yùn dòng tóng shí lí kāi dì qiú shí shòu dào de
向运动,同时,离开地球时受到的

zǔ lì xiǎo yì xiē yǐ biàn jié shěng rán liào
阻力小一些,以便节省燃料。

推力

重力

火箭发射方式原理图

火箭发射后,发射架倒回地面。

人造卫星为什么不会撞架?

人造卫星是搭载着火箭飞入太空的,它装在火箭的顶部,头上戴着一顶圆锥形的防护罩。卫星通过火箭的推动与火箭一起飞行,到达预定的卫星轨道后,它就会与火箭分离,自己开始运行。每一颗人造卫星都有自己的运行轨道,

各种各样的人造卫星

太阳能电池是人造卫星的动力之源。

在地球上空运行的卫星

zhè shì yīn wèi bù tóng de rén zào wèi xīng xū yào zài bù
这是因为不同的人造卫星需要在不

tóng de gāo dù hé fāng wèi shang yùn xíng ér qiě tài kōng
同的高度和方位上运行。而且太空

zhōng yǒu nà me duō de wèi xīng zhǐ yǒu guǐ dào bù tóng
中有那么多的卫星，只有轨道不同，

tā men cái bú huì hù xiāng pèng zhuàng rén zào wèi xīng
它们才不会互相碰撞。人造卫星

de guǐ dào shì yóu kē xué jiā yù xiān shè jì de wǒ
的轨道是由科学家预先设计的，我

men kě yǐ yáo kòng tā men yùn xíng de fāng xiàng
们可以遥控它们运行的方向。

rén zào wèi xīng zuì hòu huì diào xia lai ma?
人造卫星最后会掉下来吗?

yóu yú rén zào wèi xīng yùn dòng guǐ dào de bù
由于人造卫星运动轨道的不

tóng tā men de jié jú yě bù yí yàng jù lí
同，它们的"结局"也不一样。距离

dì qiú bǐ jiào jìn de wèi xīng zài néng liàng xiāo hào guāng
地球比较近的卫星在能量消耗光

zhī hòu yí dìng huì diào xia lai bú guò jù lí bǐ
之后，一定会掉下来。不过，距离比

jiào yuǎn de wèi xīng zài néng liàng xiāo hào guāng hòu huì
较远的卫星在能量消耗光后，会

zài tài kōng zhōng piāo dàng
在太空中飘荡。

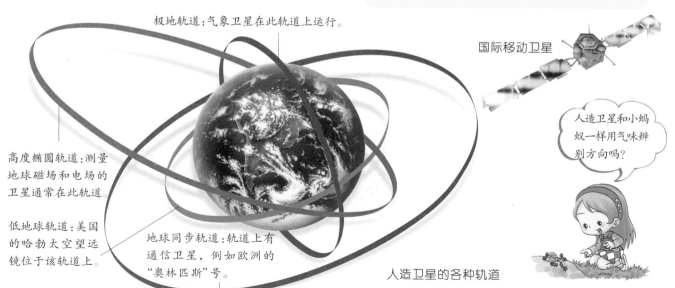

极地轨道:气象卫星在此轨道上运行。

国际移动卫星

高度椭圆轨道:测量地球磁场和电场的卫星通常在此轨道。

低地球轨道:美国的哈勃太空望远镜位于该轨道上。

地球同步轨道:轨道上有通信卫星，例如欧洲的"奥林匹斯"号。

人造卫星的各种轨道

人造卫星和小蚂蚁一样用气味辨别方向吗?

太空探测器有人驾驶吗?

太空探测器是一种航天器,它需要人驾驶吗?实际上,太空探测器是一种高度精密的自动控制装置,因此无人驾驶。

太空探测器"独立性"很强,它按预定路线飞往目标,然后自动工作并通过无线电把探测结果发回地球。到目前为止,各种各样的太空探测器先后对月球、水星、金星、木星、天王星、海王星、哈雷彗星以及许多小行星、卫星进行了考察。

太阳 地球

飞行路线

火星 "海盗"号

轨道飞行器

登陆船

着陆

"海盗"号探测器登陆火星示意图

太空探测器无须有人驾驶就能自动飞行。

太空探测器的工作
原理很复杂。

太空探测器怎样 工作？
tài kōng tàn cè qì zěn yàng gōng zuò

太空探测器可以接收来自地
tài kōng tàn cè qì kě yǐ jiē shōu lái zì dì

球的命令，也可以执行计算机内部
qiú de mìng lìng   yě kě yǐ zhí xíng jì suàn jī nèi bù

设计好的任务。太空探测器上有控
shè jì hǎo de rèn wu   tài kōng tàn cè qì shang yǒu kòng

制系统，它负责操作科学仪器。在此过
zhì xì tǒng   tā fù zé cāo zuò kē xué yí qì   zài cǐ guò

程 中，来自太阳能接收板或核机产 生
chéng zhōng   lái zì tài yáng néng jiē shōu bǎn huò hé jī chǎn shēng

的电能为探测器提供动力。
de diàn néng wèi tàn cè qì tí gōng dòng lì

"伽利略"号探
测器是木星的
考察者。

磁力针

磁力

"旅行者"1号太空
探测器

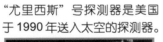
"尤里西斯"号探测器是美国
于1990年送入太空的探测器。

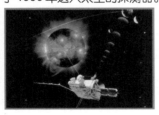

碟形天线

核电池

"金星"号探测器在获取金星
的数据方面立下了汗马功劳。

科学仪器架

带电粒子探测器

助推器

宇宙线探测器

等离子体探测器

电视摄影机

射电天文天线

航天辅助系统单元

zài rén fēi chuán kě yǐ duō cì shǐ yòng ma
载人飞船可以多次使用吗?

zài rén fēi chuán yě jiù shì wǒ men suǒ shuō de yǔ zhòu fēi chuán tā néng bǎo zhàng háng tiān yuán zài
载人飞船也就是我们所说的宇宙飞船,它能保障航天员在

wài céng kōng jiān shēng huó hé gōng zuò hái néng jí shí fǎn huí dì qiú nà me wèi le jié yuē chéng
外层空间生活和工作,还能及时返回地球。那么,为了节约成

běn fǎn huí dì qiú de zài rén fēi chuán hái kě yǐ zài
本,返回地球的载人飞船还可以再

lì yòng ma hěn kě xī zài rén fēi chuán jǐn néng shǐ
利用吗?很可惜,载人飞船仅能使

yòng yí cì yīn wèi zài rén fēi
用一次。因为载人飞

chuán de yùn xíng shí jiān yǒu xiàn
船的运行时间有限。

载人飞船和航天飞机一样,
搭载在火箭上升空。

“上升”2号载人飞船是第一
次实现航天员出舱活动的载
人飞船。

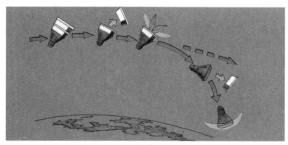

“双子星座”号载人飞船的座舱返回地球。

如果载人飞船像降落伞一样可以重复使用该多好!

zhè yě shì zài rén fēi chuán zuì dà de jú
这也是载人飞船最大的局

xiàn lìng wài zài rén fēi chuán de róng jī
限。另外,载人飞船的容积

jiào xiǎo yīn wèi shòu dào suǒ zài de xiāo hào xìng
较小,因为受到所载的消耗性

wù zī shù liàng de xiàn zhì tā yě bú jù bèi zài bǔ jǐ de
物资数量的限制,它也不具备再补给的

néng lì
能力。

人类登上月球离不开载人飞船的帮助。

"双子星座"号
载人飞船

chéng shàng zài rén fēi chuán huì yǒu shén me gǎn jué
乘 上载人飞船会有什么感觉?

chéng shàng zài rén fēi chuán fēi xiàng tài kōng hòu
乘 上载人飞船飞向太空后,

háng tiān yuán huì chǔ yú shī zhòng zhuàng tài dāng
航天员会处于失重 状态。当

suǒ yǒu jī ròu fàng sōng shí tā men de dà tuǐ jiù
所有肌肉放松时,他们的大腿就

huì qīng qīng xiàng shàng tái qǐ gē bo xiàng qián shū
会轻轻向上抬起,胳膊向前舒

zhǎn shēn tǐ lüè wēi wān qū kàn shang qu fǎng
展,身体略微弯曲,看上去仿

fú zài shuǐ zhōng yí yàng
佛在水中一样。

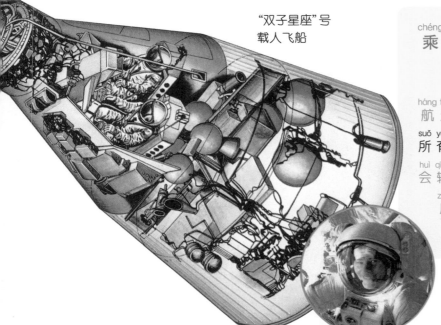

处于失重状态
的航天员

航天飞机为什么不怕热？

háng tiān fēi jī wèi shén me bú pà rè

háng tiān fēi jī wèi shén me bú pà rè ne zhè yǔ tā de gé rè wǎ
航天飞机为什么不怕热呢？这与它的隔热瓦

yǒu guān gé rè wǎ wèi yú háng tiān fēi jī wài biǎo miàn yóu yì céng nài gāo wēn
有关。隔热瓦位于航天飞机外表面，由一层耐高温

cái liào zhì chéng kě yǐ zǔ zhǐ gāo wēn rù qīn fēi jī nèi
材料制成，可以阻止高温入侵飞机内

bù lì rú jī tóu de gé rè wǎ kě
部。例如，机头的隔热瓦可

nài de gāo wēn
耐 1360℃ 的高温。

航天飞机发射

太空中的航天飞机

遥控机械臂　散热器

三角机翼

装有人造卫
星的分离舱

前轮

气密座舱

尾翼

方向舵

操纵引擎

助推器

有效载荷舱门

主引擎

碳绝热层

航天飞机结构示意图

航天飞机能重复使用吗？

hánɡ tiān fēi jī nénɡ chónɡ fù shǐ yònɡ ma

rú ɡuǒ nǐ liǎo jiě hánɡ tiān fēi jī dàn shēnɡ de bèi jǐnɡ nà
如果你了解航天飞机诞生的背景，那

me nǐ jiù yí dìnɡ qīnɡ chu tā nénɡ bù nénɡ chónɡ fù shǐ yònɡ le hánɡ
么你就一定清楚它能不能 重复使用了。航

tiān fēi jī shì wèi le jiànɡ dī yǔ zhòu fēi chuán bù nénɡ chónɡ fù shǐ yònɡ
天飞机是为了降低宇宙飞船不能 重复使用

de ɡāo chénɡ běn ér yán zhì de xiàn zài hánɡ tiān fēi jī yǐ chénɡ wéi rén
的高 成本而研制的。现在，航天飞机已成为人

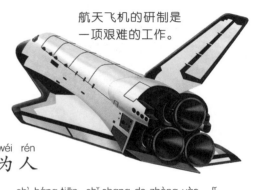

航天飞机的研制是一项艰难的工作。

lèi jìn rù tài kōnɡ de jiāo tōnɡ ɡōnɡ jù shì hánɡ tiān shǐ shanɡ de zhònɡ yào lǐ
类进入太空的交通工具，是航天史上的重要里

chénɡ bēi bú ɡuò zài měi cì zài shǐ yònɡ qián wéi hù
程碑。不过，在每次再使用前，维护

hé jiǎn xiū dōu shì bì bù kě shǎo de
和检修都是必不可少的。

可以多次使用的航天飞机

查查资料，看看航天飞机能不能再次使用！

空天飞机是第二代航天飞机，全称航空航天飞机。

空间站是做什么用的？

空间站又叫"轨道站"或"航天站"，是一种能在太空长期停留的航天器。它是科学家在空中进行科学研究工作的空间场所。科学家在空间站可以进行天文观测、地球资源勘测、医学和

国际空间站

NO.1
长期运行在太空中的航天站

NO.2
"天空实验室"是美国第一个空间站。

NO.3
"和平"号空间站是第一个在太空长期运行的载人空间站。

太阳能电池板

热控制板

补给船与空间
站对接

国际空间站的组成结构

航天员也可以
在空间站中看
书学习吧？

shēng wù xué yán jiū　jì shù shì yàn děng gōng zuò　kōng jiān zhàn de guǐ
生物学研究、技术试验等工作。空间站的轨

dào cāng shì háng tiān yuán de gōng zuò shì　shēng huó cāng shì háng tiān yuán
道舱是航天员的工作室，生活舱是航天员

de xiū xi qū　háng tiān yuán men kě yǐ zài lǐ miàn
的休息区。航天员们可以在里面

shēng huó jǐ shí tiān　jǐ gè yuè shèn zhì yì liǎng
生活几十天、几个月甚至一两

nián　tài yáng néng diàn chí bǎn zhuāng zài kōng
年。太阳能电池板装在空

jiān zhàn de wài cè　wèi kōng jiān zhàn
间站的外侧，为空间站

tí gōng diàn yuán
提供电源。

这些水果可以由航天
器送到空间站去。

kōng jiān zhàn li de háng tiān yuán cóng nǎ lǐ huò dé shēng huó yòng pǐn ne
空间站里的航天员从哪里获得生活用品呢？

háng tiān yuán yào zài kōng jiān zhàn li shēng huó hěn cháng shí jiān　tā men
航天员要在空间站里生活很长时间，他们

de shēng huó yòng pǐn bú shì yí cì jiù dài qù de　kōng jiān zhàn shang de háng
的生活用品不是一次就带去的。空间站上的航

tiān rén yuán gēng huàn hé shēng huó yòng pǐn de bǔ chōng　kě yǐ yóu zài rén fēi
天人员更换和生活用品的补充，可以由载人飞

chuán huò háng tiān fēi jī yùn sòng guo qu　shēng huó yòng pǐn yě kě yǐ yóu
船或航天飞机运送过去，生活用品也可以由

wú rén háng tiān qì yùn sòng
无人航天器运送。

航天员为什么要穿航天服?

航天员进入太空时都要穿航天服。这是因为太空的环境与地球不同,如大大小小陨星的袭击常常令航天员猝不及防;高空的辐射会危害人体健康;太空中的太空垃圾对航天员的生命也是一种威胁。

因此,航天员必须要有严格的保护措施,而航天服就能为航天员提供这种保护。

> 航天服里有呼吸装置。

航天服能帮助航天员适应太空中温度的急剧变化。

太空中的航天员

wèi shén me rén zài tài kōng zhōng huì zhǎng gèr
为什么人在太空中会长个儿?

shēng huó zài tài kōng li de háng tiān yuán huì fā xiàn zì jǐ zài tài kōng li zhǎng gèr le zhè
生活在太空里的航天员,会发现自己在太空里长个儿了。这

shì tài kōng zhōng de shī zhòng zuò yòng zài gǎo guài rén zài tài kōng zhōng shí bú shòu zhòng lì yǐng xiǎng
是太空中的失重作用在搞怪。人在太空中时,不受重力影响,

如果我到太
空里,会长多
高呢?

yí qiè dōu méi yǒu shàng xià zhī fēn rén tǐ jǐ gǔ de zhuī pán
一切都没有上下之分,人体脊骨的椎盘

huì kuò zhǎn suǒ yǒu de guān jié yě huì sōng chí jiàn xì
会扩展,所有的关节也会松弛、间隙

zēng dà jǐ shí gè guān jié de wēi xiǎo kuò zhāng
增大。几十个关节的微小扩张

jiā qi lai jiù huì shǐ shēn tǐ míng xiǎn zēng
加起来,就会使身体明显增

gāo bú guò háng tiān yuán huí dào dì
高。不过,航天员回到地

qiú dì miàn hòu zhè zhǒng xiàn xiàng jiù
球地面后,这种现象就

huì xiāo shī
会消失。

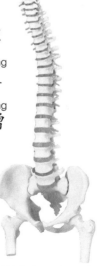

脊椎在没有重力
的情况下会变长。

航天员在返回地面后的几个
小时内,身高就会恢复。

我们能到月球上生活吗？

月球

自从1969年人类第一次登月成功后，科学家一直在研究，如何在月球上建造房屋，以供人类永久居住。但是，月球上昼夜温差很大、宇宙射线的辐射和流星袭击都是必须解决的问题。要解决这些难点，选择房屋位置很关键。现在，科学家们已经找到了最佳建屋的位置。据设想，人类将先在月球上建造一个月球塔，那时人们可以抵达月球参观。如

月球探测器是人类探测月球的重要工具。

航天员正在采集月球岩石样品。

guǒ wǒ men zhēn de yào zài
果我们真的要在

yuè qiú shang cháng qī jū zhù hái
月球上 长期居住,还

yào jīng guò kē xué jiā de jì xù
要经过科学家的继续

nǔ lì cái néng shí xiàn
努力才能实现。

天线

电视摄像机

电视摄像机

背负式生
保系统

月球通信
中继装置

座下贮藏箱

月球车

线网轮胎

科幻画:在月球上看地球

我们现在还
不能到月球
上居住生活。

wèi shén me shuō yuè qiú kě néng shì gè néng yuán bǎo kù
为什么说月球可能是个能 源宝库?

yuè qiú shang zī yuán fēng fù   jù tàn cè   yuè qiú biǎo miàn fù gài
月球上资源丰富,据探测,月球表面覆盖

zhe yì céng yóu tài yáng fēng lì zǐ jī lěi suǒ xíng chéng de qì tǐ
着一层由太阳风粒子积累所形成的气体,

rú hài   rú guǒ cóng yuè qiú kāi cǎi chū   dūn hài
如氦-3。如果从月球开采出 1500 吨氦-3

qì tǐ   jiù néng mǎn zú dì qiú yì nián de néng yuán xū yào
气体,就能满足地球一年的能 源需要。

科幻画:开发月球

太空可以被人类开发利用吗？

开发太空是人类久远的梦想，但直到1957年苏联发射第一颗人造卫星进入太空，人类才真正踏上了开发太空的旅程。随着科学技术的不断进步，人类定居太空也不再是遥不可及的梦想。

在21世纪，人类开发太空的计划有太空桥、太空港、人

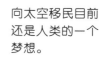

向太空移民目前还是人类的一个梦想。

人类正在努力开发太空，寻找更多的生存空间。

未来的太空宾馆

造太空球、太空工厂、太空农场等，这些计划可以让太空为人类所用。

例如，"太空港"计划可以使太空中形成一个完整的航天运输网络，这样空间客运就会有转运站了；"人造太空球"可以减轻地球上人口的压力等。

人造太空球里的生活环境和地球上是一样的，人类可以在其中生活。

普通人现在可以到太空中旅游吗？

人类在太空建立定居点还有相当一段路要走，但太空旅游已经在一定程度上实现了。到目前为止，已有5位非航天员人士到过太空呢！不过，太空旅游的费用很高，一般人根本消费不起。

人类正在一步步深入太空。

太空中为什么有垃圾？

在太空轨道上飘浮的无用之物就是太空中的垃圾。那么为什么会有太空垃圾呢？这是因为许多太空任务都会制造垃圾，如丢弃的火箭、老旧的人造卫星、人造卫星爆炸或摧毁时产生的碎片等。除了大型废弃物，大小在10厘米到1厘米的垃圾碎片也可以成为太空中的危险物。太空垃圾会给航天事业带来隐患，还会污染宇宙空间。

环绕地球的太空垃圾

开发太空时，一定要像爱护地球那样保护太空。

地球上的高速撞击实验表明，太空垃圾撞击飞行器的概率很大。

· 第 **3** 章 ·

美丽的地球家园

灿烂的太阳、蓝蓝的天空、起伏的山脉、茂密的森林……这就是我们美丽的地球家园。地球多大年纪了？为什么会有白天和黑夜……你知道这些问题的答案吗？养育我们的地球有很多秘密是你所不知的，快来了解一下我们可爱的地球家园吧！

dì qiú duō dà nián jì le

地球多大年纪了?

虽然地球已经有46亿岁了,但它仍处于壮年期。

dì qiú xiàng qí tā shì wù yí yàng yě yǒu chǎn shēng fā zhǎn hé xiāo wáng
地球像其他事物一样,也有产生、发展和消亡

de guò chéng zǎo zài rén lèi chū xiàn zhī qián dì qiú jiù cún zài le nǐ zhī dào
的过程。早在人类出现之前,地球就存在了,你知道

地球的演化

dì qiú yǒu duō dà suì shu le ma kē xué jiā men gēn jù zì rán
地球有多大岁数了吗?科学家们根据自然

jiè zhōng fàng shè xìng yuán sù wù zhì de nián líng tuī duàn dì
界中放射性元素物质的年龄推断:地

qiú de nián líng yīng gāi zài yì nián zuǒ yòu zhè hé rén de nián líng xiāng bǐ
球的年龄应该在46亿年左右。这和人的年龄相比,

火山灰覆盖了天空,降低了大气温度,大量降水促使原始海洋形成。

刚诞生的地球是炽热的,熔化的岩浆从地表裂缝向外喷射。

原始海洋中的各种物质不断地相互作用,逐渐形成了原始生命。

经过30多亿年的演变,地球大气和海洋的成分发生了巨大变化。

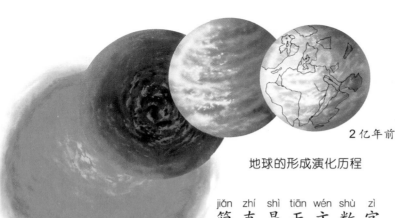

2亿年前

地球的形成演化历程

1亿年前

现在

46亿年前

jiǎn zhí shì tiān wén shù zì
简直是天文数字。

nà me dì qiú shì zěn me xíng chéng de
那么地球是怎么形成的

ne kē xué jiā tuī cè yín hé xì li céng fā shēng guò yí cì bào
呢？科学家推测，银河系里曾发生过一次爆

zhà dì qiú jiù shì zài zhè cì dà bào zhà hòu zhú jiàn chǎn shēng de
炸，地球就是在这次大爆炸后逐渐产生的。

dì qiú shang de shēng mìng shì rú hé qǐ yuán de
地球上的生命是如何起源的？

dì qiú zuì chū de shēng mìng qǐ yuán yú yuán shǐ hǎi yáng tā
地球最初的生命起源于原始海洋，它

men shì zuì jiǎn dān de xì jūn hé zǎo lèi hòu lái yì xiē zǔ
们是最简单的细菌和藻类。后来，一些组

zhī jié gòu bǐ jiào fù zá de zhí wù lù xù chū xiàn dà yuē
织结构比较复杂的植物陆续出现。大约

zài yì nián qián yuán shǐ hǎi yáng zhōng dàn shēng le xiǎo xíng
在 6 亿年前，原始海洋中诞生了小型

ruǎn tǐ dòng wù dì qiú shēng mìng kāi shǐ fán shèng
软体动物。**地球生命开始繁盛。**

地球是浩瀚的宇宙空间中一个小小的成员。

wèi shén me shuō dì qiú xiàng gè dà lí zi
为什么说地球像个大梨子？

地球的形状像一只超大个的鸭梨。

dà jiā dōu zhī dào dì qiú shì qiú xíng de
大家都知道，地球是球形的。

kě nǐ men zhī dào ma dì qiú bìng bú xiàng lán qiú
可你们知道吗，地球并不像篮球、

zú qiú nà yàng shì hěn guī zé de yuán qiú tǐ ér shì
足球那样是很规则的圆球体，而是

yí gè lí zi xíng zhuàng de tuǒ yuán qiú tǐ yuán lái
一个梨子形状的椭圆球体。原来，

地球并不像篮球呈规则圆形。

dì qiú shí kè dōu zài yǐ yí gè zhóu wéi zhōng xīn zì zhuàn zhe bú
地球时刻都在以一个轴为中心自转着。不

guò dì qiú de zì zhuàn zhóu shì kē xué jiā
过，地球的自转轴是科学家

men wèi le miáo shù dì qiú zì zhuàn ér jiǎ
们为了描述地球自转而假

dìng cún zài de yóu yú wù tǐ zài zuò yuán zhōu
定存在的。由于物体在做圆周

原来，地球并不像我们看到的这样圆！

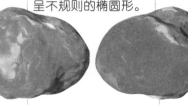

由于自转的作用，地球呈不规则的椭圆形。

yùn dòng de shí hou huì chǎn shēng lí xīn lì suǒ yǐ dì
运动的时候会产生离心力，所以地

qiú zì zhuàn shí huì shòu dào lí xīn lì de zuò yòng zài
球自转时会受到离心力的作用，再

把罐子以圆周方向转动，弹球
会绕罐壁打转，这是离心力在
起作用。

jiā shàng dì qiú nèi bù
加上地球内部
de wù zhì fēn bù de
的物质分布得
bù jūn yún dì qiú de
不均匀，地球的
xíng zhuàng jiù biàn de hěn
形状就变得很
fù zá jīn tiān de dì qiú chì dào bù fen lüè gǔ
复杂。今天的地球赤道部分略鼓，
liǎng jí bù fen lüè biǎn zhěng tǐ xíng zhuàng jiù xiàng yì
两级部分略扁，整体形状就像一
zhǐ dà lí zi
只大梨子。

shuí dì yī cì zhèng shí le dì qiú shì qiú tǐ
谁第一次证实了地球是球体?

nián pú táo yá háng hǎi jiā mài zhé lún shuài lǐng
1519年，葡萄牙航海家麦哲伦率领
chuán duì cóng xī bān yá chū fā xiàng xī háng xíng chuán duì
船队从西班牙出发，向西航行。船队
héng dù dà xī yáng chuān yuè tài píng yáng zuì hòu yú
横渡大西洋，穿越太平洋，最后于1522
nián yuè huí dào xī bān yá zhè cì wěi
年9月回到西班牙。这次伟
dà de háng xíng dì yī cì zhèng shí le
大的航行第一次证实了
dì qiú shì gè dà qiú tǐ
地球是个大球体。

环球航海家——麦哲伦

古人的地球观

古埃及人认为大地呈长盘形，
周边高起，中央低凹，大地漂
浮在海上，天由高山支撑着。

古印度人认为陆地由几千只大象支撑着，
更大的象支撑着包括海在内的半球状大
地，支撑象的是一只大龟，龟由蛇来支配。

中世纪，欧洲人认为平坦的大地被
天空所覆盖，大地中央有大山，当太
阳躲在山的背后时，夜晚就来临了。

地球里面有什么？

dì qiú lǐ miàn yǒu shén me

地球表面有高山大海，还有河流和湖泊，那么地球里面有什么呢？事实上，地球像夹心糖一样，里面包着许多圈层。这些圈层可以粗略地分为地壳、地幔和地核三部分。最外面的地壳像糖衣一样，里面包着糖果——地幔，地幔也像一层糖衣一样包裹着

地慢

外核

内核

地球的构成

地壳

看看地球里面到底有什么！

地球表面的构造与地球内部有所不同。

铀等放射性元素释放出
的热使地球内部变热。

铁和镍等重金属开始
在中心周围沉积。

向地心沉积的铁和镍
开始形成地核。

地核在中心形成，地表冷
却，大陆地壳开始形成。

地核的形成

糖心——地核。科学家推测，地球最初非常热，处于熔融状态。

由于重的物体下沉，而轻的物体上浮，所以重的物质都集中到地

球中心去了，而轻的物质就浮在外层，冷却后变成了

坚硬的地壳。这样，地球里面就成了许多的圈层。

地核被压在最里面，它能运动吗？

科学家们认为，地核内部是一个不平静的世界，它里面的各种物质始终处于运动之中，而且，地核内部还可能因为受到太阳和月亮的引力而发生有节奏的震动呢！

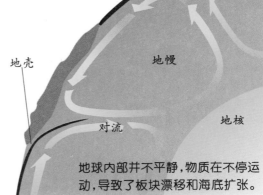

地壳

地幔

对流

地核

地球内部并不平静，物质在不停运动，导致了板块漂移和海底扩张。

为什么南北半球季节不同？
wèi shén me nán běi bàn qiú jì jié bù tóng

寒带 来自太阳的热量
温带
北回归线
热带
南回归线 温带
寒带

不同区域获得的热量不同。

wǒ men dōu zhī dào　　dì qiú zǒng shì xié zhe shēn zi rào tài yáng xuán
我们都知道，地球总是斜着身子绕太阳旋
zhuǎn　dāng tài yáng zhí shè běi bàn qiú shí　běi bàn qiú dé dào de tài yáng rè
转。当太阳直射北半球时，北半球得到的太阳热
liàng duō　qì wēn gāo　zhè shí　nán bàn qiú shòu dào tài yáng xié shè　dé
量多，气温高。这时，南半球受到太阳斜射，得
dào de tài yáng rè liàng shǎo　qì wēn dī　dāng tài yáng zhí shè nán bàn qiú
到的太阳热量少，气温低。当太阳直射南半球
shí　qíng kuàng zé zhèng hǎo xiāng fǎn　yīn cǐ　suí zhe tài yáng zhí shè diǎn wèi zhì de nán běi yí dòng　nán
时，情况则正好相反。因此，随着太阳直射点位置的南北移动，南
běi bàn qiú chéng xiàn chū rè liàng de shí kōng chā yì　cóng ér xíng chéng le nán běi bàn qiú de jì jié chā yì
北半球呈现出热量的时空差异，从而形成了南北半球的季节差异。

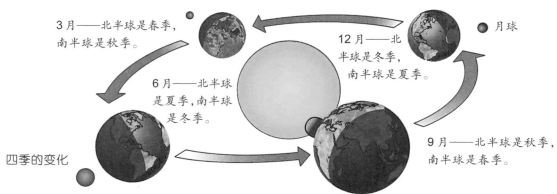

3月——北半球是春季，南半球是秋季。

12月——北半球是冬季，南半球是夏季。

月球

6月——北半球是夏季，南半球是冬季。

9月——北半球是秋季，南半球是春季。

四季的变化

为什么南极比北极冷？
wèi shén me nán jí bǐ běi jí lěng

南极洲的冰山

南极洲是一个四面环海的冰
nán jí zhōu shì yí gè sì miàn huán hǎi de bīng

原大陆，冰原上一年四季刮强
yuán dà lù bīng yuán shang yì nián sì jì guā qiáng

烈的暴风，厚厚的冰层常
liè de bào fēng hòu hòu de bīng céng cháng

年不化。因此，南极是地球上的
nián bú huà yīn cǐ nán jí shì dì qiú shang de

"寒极"。而北极地区是四周被
hán jí ér běi jí dì qū shì sì zhōu bèi

大陆包围的海，中间是北冰洋。
dà lù bāo wéi de hǎi zhōng jiān shì běi bīng yáng

大西洋还有一股温暖的海流——
dà xī yáng hái yǒu yì gǔ wēn nuǎn de hǎi liú

北大西洋暖流流入北冰洋，所
běi dà xī yáng nuǎn liú liú rù běi bīng yáng suǒ

以北极地区的气候就不会像南
yǐ běi jí dì qū de qì hòu jiù bú huì xiàng nán

极地区那样寒冷。
jí dì qū nà yàng hán lěng

如果没有大风，南极的雪人可以保留很久。

企鹅是南极的"主人"。

wèi shén me huì yǒu bái tiān hé hēi yè
为什么会有白天和黑夜？

在南极，一年中半年是持续的白天，半年是持续的黑夜。

如果没有黑夜，我就可以一直在外面玩儿了。

měi tiān dāng tài yáng shēng qǐ lai de shí hou
每天，当太阳升起来的时候，

bái tiān jiù kāi shǐ le ér dāng tài yáng luò
白天就开始了，而当太阳落

shān shí yè mù yě jiù jiàng lín le wèi
山时，夜幕也就降临了。为

shén me huì yǒu bái tiān hé hēi yè ne
什么会有白天和黑夜呢？

yuán lái wǒ men shēng huó de dì qiú yì zhí yǐ dì zhóu wéi zhōng xīn
原来，我们生活的地球一直以地轴为中心

bù tíng de zì zhuàn zhè jiù shǐ dì qiú zǒng yǒu yí miàn xiàng zhe tài yáng
不停地自转，这就使地球总有一面向着太阳，

ér lìng yí miàn bèi zhe tài yáng xiàng zhe tài yáng de nà miàn jiù shì bái tiān
而另一面背着太阳。向着太阳的那面就是白天，

太阳

被太阳照射的一面是白昼。

地球

太阳发射的光和热量

昼夜的产生

太阳照射不到的一面是黑夜。

地球自转示意图

bèi zhe tài yáng de nà yí miàn jiù shì hēi yè yīn wèi dì qiú cóng
背着太阳的那一面就是黑夜。因为地球从

lái bù tíng zhǐ zì zhuàn suǒ yǐ hēi yè hé bái tiān yě jiù bù tíng
来不停止自转，所以黑夜和白天也就不停

de yǒu guī lǜ de biàn huàn zhe ér qiě suí zhe jì jié de biàn
地有规律地变换着。而且，随着季节的变

huàn bái tiān hé hēi yè de cháng duǎn yě zài fā shēng biàn huà
换，白天和黑夜的长短也在发生变化。

白天，在阳光的照射下，一切清晰可见。

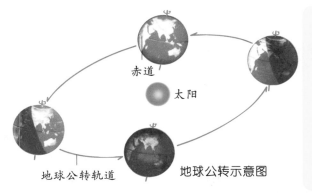

赤道　太阳

地球公转轨道　地球公转示意图

wèi shén me huì chū xiàn jí zhòu hé jí yè
为什么会出现极昼和极夜？

dì qiú zài gōng zhuàn shí dì zhóu yǔ gōng zhuàn guǐ dào miàn chéng yí
地球在公转时，地轴与公转轨道面呈一

gè yuē de jiā jiǎo zhè yàng nán jí hé běi jí zǒng shì yí gè
个约 23.5° 的夹角。这样，南极和北极总是一个

cháo zhe tài yáng yí gè bèi zhe tài yáng zhí dào bàn nián cái jiāo tì yí
朝着太阳，一个背着太阳，直到半年才交替一

cì jí zhòu hé jí yè xiàn xiàng jiù zhè yàng chǎn shēng le
次。极昼和极夜现象就这样产生了。

北极地区的极昼现象

为什么地球围着太阳打转？

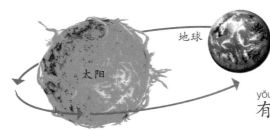

地球的公转轨道

地球不仅自己转动，还喜欢一直围着太阳打转。这是因为太阳对地球有一种巨大的引力，使地球靠近它。同时，地球围着太阳做圆周运动时，能产生向外远离太阳的离心力，使自己与太阳保持一定的距离，而不会与太阳相撞。由于这种离心力克服不了太阳的引力，所以地球就

地球真好动，不但自转，还要公转呢！

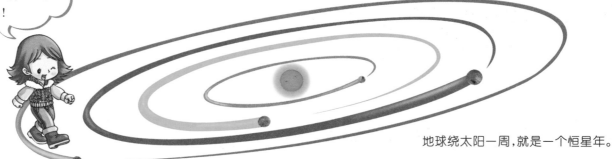

地球绕太阳一周，就是一个恒星年。

yì zhí wéi zhe tài yáng dǎ zhuàn　dì qiú de zhè zhǒng yùn dòng wǒ men tōng
一直围着太阳打转。地球的这种运动我们通

cháng chēng wéi　gōng zhuàn　dì qiú wéi rào tài yáng gōng
常称为"公转"。地球围绕太阳公

zhuàn yì quān de shí jiān dà yuē shì　tiān
转一圈的时间大约是365天

xiǎo shí　fēn　miǎo　yě jiù shì
5小时48分46秒，也就是

wǒ men tōng cháng suǒ shuō de　yì nián
我们通常所说的一年。

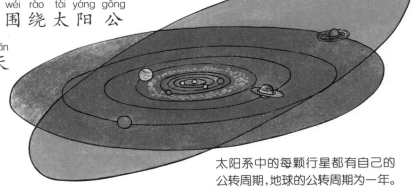

太阳系中的每颗行星都有自己的
公转周期，地球的公转周期为一年。

春

dì qiú gōng zhuàn de zhōu qī shì bú biàn de ma
地球公转的周期是不变的吗？

dì qiú de gōng zhuàn zhōu qī bìng bú shì gù dìng bú biàn de　zài　yì nián yǐ qián
地球的公转周期并不是固定不变的。在5.7亿年以前，

dì qiú shang de yì nián yǒu　tiān　yě jiù shì shuō　dì qiú de gōng zhuàn zhōu qī shì
地球上的一年有428天，也就是说，地球的公转周期是428

tiān　ér zài　yì nián yǐ qián　dì qiú shang de yì nián yǒu　tiān zuǒ yòu
天；而在3.7亿年以前，地球上的一年有398天左右。

夏

秋

冬

四季的变化与地球的公转
有着十分密切的关系。

地球大气层是如何形成的?

从卫星上看到的地球大气

我们的地球被一层厚厚的大气层包围着,它像保护伞一样保护着地球上的生物。那你知道大气层是怎么形成的吗?

在地球刚刚形成的时候,它还是一团疏松的物质,其中包括空气和固体尘埃。

后来,由于地心

我们就生活在地球的大气层当中。

图中蓝色区域是1988年观测到的南极臭氧层空洞,面积比北美洲还大。

外逸层

带电的太阳粒子

热层

极光

中间层

尘埃带

流星雨

平流层

臭氧层

宇宙辐射

对流层

大气层的结构

yǐn lì de zuò yòng   dì qiú zhú jiàn shōu suō biàn xiǎo   lǐ
引力的作用，地球逐渐收缩变小，里

miàn de kōng qì shòu dào yā suō   bèi jǐ le chū lái
面的空气受到压缩，被挤了出来，

fēi sàn dào tài kōng zhōng de kōng qì yòu bèi dì xīn
飞散到太空中的空气又被地心

yǐn lì lā zhù   huán rào zài dì qiú zhōu wéi   jiù
引力拉住，环绕在地球周围，就

xíng chéng le yuán shǐ de dà qì céng   jīng guò màn
形成了原始的大气层。经过漫

cháng de dì qiào yùn dòng hé huán jìng biàn huà   dà qì
长的地壳运动和环境变化，大气

céng jiù biàn chéng xiàn zài zhè zhǒng hòu hòu de yàng zi le
层就变成现在这种厚厚的样子了。

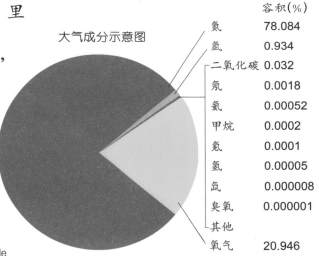

大气成分示意图

	容积(%)
氮	78.084
氩	0.934
二氧化碳	0.032
氖	0.0018
氦	0.00052
甲烷	0.0002
氪	0.0001
氢	0.00005
氙	0.000008
臭氧	0.000001
其他	
氧气	20.946

由于地球外面包着厚厚的大气，所以我们才能看到蓝天白云的美丽景象。

dì qiú dà qì céng dào dǐ yǒu duō hòu
地球大气层到底有多厚？

yóu yú dà qì céng méi yǒu míng xiǎn de jiè xiàn   suǒ yǐ mù qián
由于大气层没有明显的界限，所以目前

kē xué jiā men hái méi yǒu cè chū zhěng gè dà qì céng què qiè de hòu
科学家们还没有测出整个大气层确切的厚

dù   dàn shì tā jù dì qiú biǎo miàn zhì shǎo zài   qiān mǐ yǐ shàng
度，但是它距地球表面至少在3000千米以上，

qí zhōng dà yuē   jí zhōng zài   qiān mǐ yǐ xià
其中大约99.9%集中在48千米以下。

为什么地球要"震怒"？

地动仪是一种测量地震的仪器。

地球的"脾气"不是很好，有时会气得让大地都震动起来，这就是所说的"地震"。那么，地球为什么会发"脾气"呢？原来，组成地球地壳的各大板块时刻都处在运动变化之中。这种运动变化会产生巨大的力量，使地下的岩层发生变形。开始时，这个变形很

让我来演示一下地震的成因！

表面波从震中向地表四周扩散。

地震波能够穿透地球一侧到达另一侧。

地震波的传播

地震引起桥梁倒塌。

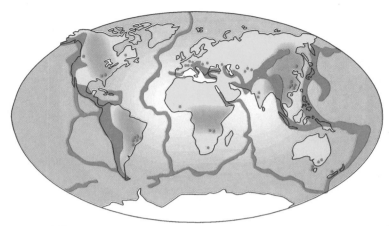

◆ 深源地震带　　∴ 浅源地震带　　全球地震带分布图

地震烈度

NO.1
3级地震

NO.2
5级地震

NO.3
9级地震

NO.4
12级地震

huǎn màn dàn dāng shòu dào de lì tài dà dà dào yán céng bù néng chéng shòu shí
缓慢，但当受到的力太大，大到岩层不能承受时，

yán céng jiù huì fā shēng tū rán kuài sù de pò liè yán céng pò liè suǒ chǎn
岩层就会发生突然、快速的破裂。岩层破裂所产

shēng de zhèn dòng chuán dào dì biǎo jiù huì yǐn qǐ dì zhèn
生的震动传到地表，就会引起地震。

dì zhèn fā shēng zài dì xià shēn chù kě dì biǎo wèi shén me huì zhèn dòng ne
地震发生在地下深处，可地表为什么会震动呢？

zhèn yuán dì qiú nèi bù fā shēng dì zhèn de dì fang yán céng pò liè shí huì chǎn shēng yì zhǒng
震源（地球内部发生地震的地方）岩层破裂时，会产生一种

xiàng sì wài chuán bō de dì zhèn bō jiù xiàng zài shuǐ zhōng tóu rù shí zǐ shuǐ bō huì xiàng sì zhōu kuò
向四外传播的地震波，就像在水中投入石子，水波会向四周扩

sàn yí yàng dì zhèn bō chuán dào dì biǎo hòu dì biǎo jiù huì chǎn shēng zhèn dòng
散一样。地震波传到地表后，地表就会产生震动。

wèi shén me huǒ shān huì fā huǒ
为什么火山会"发火"?

火山喷发的景象一定很壮观。

huǒ shān fā huǒ shì yīn wèi tā de rěn nài lì dá dào le jí xiàn yuán lái
火山"发火"是因为它的"忍耐力"达到了极限。原来，

dì qiú bù tíng de yùn dòng shǐ dì qiú nèi bù de wēn dù hé yā lì biàn de hěn gāo yú shì
地球不停的运动使地球内部的温度和压力变得很高，于是，

yí bù fen yán shí biàn chéng le gāo wēn gāo yā de yán jiāng yán jiāng
一部分岩石变成了高温高压的岩浆。岩浆

yán zhe dì qiào de liè fèng xiàng shàng yǒng róng jiě zài yán jiāng zhōng de qì tǐ
沿着地壳的裂缝向上涌，溶解在岩浆中的气体

huì zhú jiàn fēn lí chu lai yí dàn yù dào dì qiào bǐ jiào cuì ruò de dì fang
会逐渐分离出来。一旦遇到地壳比较脆弱的地方，

火山爆发时，喷出烟尘和火山灰云。

火山爆发

灼热的岩浆

zhè xiē qì tǐ jiù huì yǔ yán jiāng yì qǐ chōng chū dì biǎo xíng chéng
这些气体就会与岩浆一起冲出地表，形成

kǒng bù de huǒ shān pēn fā huǒ shān fā huǒ shí zhuó rè de
恐怖的火山喷发。火山"发火"时，灼热的

róng yán liú cóng huǒ shān kǒu pēn yǒng ér chū
熔岩流从火山口喷涌而出，

suǒ dào zhī chù wú jiān bù cuī dà
所到之处无坚不摧；大

liàng huǒ shān huī hé huǒ shān qì tǐ
量火山灰和火山气体

zài dà qì zhōng mí màn zhē tiān bì rì
在大气中弥漫，遮天蔽日。

火山刚喷发时，会释放出浓重的火山灰。

火山喷发后的火山灰遮蔽了阳光，使白天看起来就像夜晚一样。

huǒ shān suí shí dōu huì fā huǒ ma
火山随时都会"发火"吗？

bú shì de chú le huó huǒ shān zhèng
不是的。除了活火山（正

zài pēn fā huò róng yì pēn fā de huǒ shān jīng
在喷发或容易喷发的火山）经

cháng pēn fā wài yǒu xiē huǒ shān céng jīng pēn
常喷发外，有些火山曾经喷

fā dàn zài rén lèi chū xiàn yǐ hòu yì zhí méi
发，但在人类出现以后一直没

yǒu pēn fā guo yǒu xiē huǒshān zài xiū mián
有喷发过；有些火山在"休眠"，

ǒu ěr cái huì pēn fā yí cì
偶尔才会喷发一次。

岩石是怎么形成的？

岩石无处不在，大山上、小河边、山脚下、公路旁，随处可见各种各样的岩石碎块。科学家根据岩石的形成原因，把岩石分为火成岩、沉积岩和变质岩三种。那么岩石是怎么形成的呢？其实，不同种类的岩石形成过程是不一样的：火成岩是由火山喷发出来的岩浆直接变冷凝固形成的；沉积岩是由泥沙沉积而成，

这种红色的砂岩是一种沉积岩。

北爱兰著名的"巨人之路"全部是由玄武岩构成的。玄武岩是一种最常见的火成岩。

你能分得清岩石的种类吗？

巨大的岩石

huò shì shí huī zhì děng wù
或是石灰质等物

zhì chén jī ér chéng de biàn
质沉积而成的；变

zhì yán shì yóu huǒ chéng yán
质岩是由火成岩

huò chén jī yán jīng guò biàn
或沉积岩经过变

zhì zuò yòng ér xíng chéng de
质作用而形成的。

变质岩中的大理石

biàn zhì yán hé chén jī yán rú hé biàn chéng huǒ chéng yán ne
变质岩和沉积岩如何变成火成岩呢？

biàn zhì yán hé chén jī yán jìn rù dì xià shēn chù hòu zài gāo wēn
变质岩和沉积岩进入地下深处后，在高温、

gāo yā tiáo jiàn xià jiù huì róng huà xíng chéng yán jiāng yán jiāng lěng níng
高压条件下就会熔化，形成岩浆。岩浆冷凝

hòu jiù néng xíng chéng huǒ chéng yán le qí shí zhè sān zhǒng yán
后就能形成火成岩了。其实，这三种岩

shí zài yí dìng tiáo jiàn xià shì kě yǐ xiāng hù zhuǎn huà de
石在一定条件下是可以相互转化的。

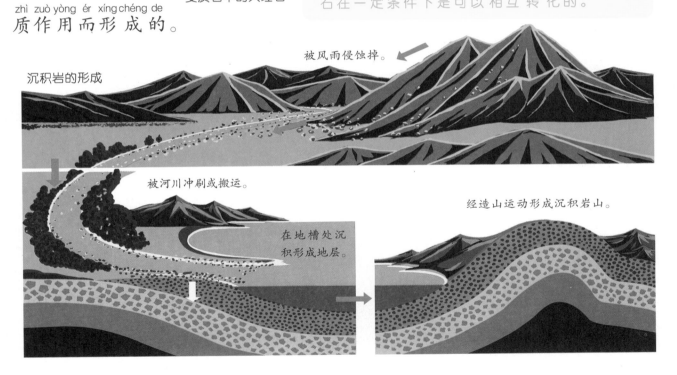

沉积岩的形成

被风雨侵蚀掉。

被河川冲刷或搬运。

经造山运动形成沉积岩山。

在地槽处沉积形成地层。

土壤颗粒的种类

砂质土壤

黏土壤

粉沙土壤

土壤的空隙中有水分,可以向上蒸发。

> 土壤是由沙子变细后形成的。

tǔ rǎng shì zěn me xíng chéng de
土壤是怎么形成的?

tǔ rǎng wèi zhí wù shēng zhǎng tí gōng yíng yǎng wǒ men
土壤为植物生长提供营养,我们

duì tā zài shú xī bú guò le kě shì nǐ zhī dào tā shì zěn
对它再熟悉不过了,可是你知道它是怎

me xíng chéng de ma gào su nǐ ba zuì chū dì
么形成的吗?告诉你吧,最初地

qiú shang dào chù dōu shì yán shí zhè xiē yán shí jīng
球上到处都是岩石,这些岩石经

guò cháng shí jiān de fēng chuī yǔ dǎ hé tài yáng zhào
过长时间的风吹雨打和太阳照

shè hòu xíng chéng le xǔ duō liè fèng jié gòu biàn de
射后,形成了许多裂缝,结构变得

土壤里的蚯蚓

shū sōng zuì hòu pò liè chéng xiǎo shí tou děng dào xià yǔ de shí hou
疏松,最后破裂成小石头。等到下雨的时候,

yǔ shuǐ shùn zhe liè fèng jìn rù zhè xiē xiǎo shí tou dāng yè wǎn qì
雨水顺着裂缝进入这些小石头。当夜晚气

wēn jiàng dī hòu yán shí zhōng de shuǐ dòng jié chéng bīng huì bǎ xiǎo shí
温降低后,岩石中的水冻结成冰,会把小石

tou chēng liè kai lai xiǎo shí tou jiù biàn chéng cū shā zi le chí
头撑裂开来,小石头就变成粗沙子了。持

土壤的形成

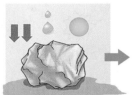

岩石受到太阳照射裂开，渗入了雨水。

降温后，水冻成冰，把岩石撑裂开。

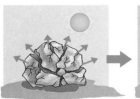

持续不断的风吹日晒使岩石碎裂得越来越小，最后形成土壤。

xù bú duàn de rì shài yǔ
续不断的日晒雨

lín shǐ cū shā zi
淋使粗沙子

biàn chéng xì shā zi
变成细沙子，

zuì zhōng xíng chéng le
最终形成了

tǔ rǎng
土壤。

热带沙漠地区的土壤多为砂质土壤。

tǔ rǎng li zhǐ yǒu shā lì hé ní tǔ ma
土壤里只有沙粒和泥土吗？

tǔ rǎng li bìng bú shì zhǐ yǒu shā lì hé ní tǔ   tǔ rǎng
土壤里并不是只有沙粒和泥土。土壤

zhōng chéng fèn hěn duō   chú le yì xiē zhí wù hé kōng xì zhōng de
中成分很多，除了一些植物和空隙中的

shuǐ fèn wài   hái hán yǒu xǔ duō zhǒng lèi de shēng wù   bāo kuò xì
水分外，还含有许多种类的生物，包括细

jūn zǎo lèi   jié zhī dòng wù hé dōng mián dòng wù
菌、藻类、节肢动物和冬眠动物。

有了土壤，地球上才有了美丽多姿的植物。

大海为什么会有潮汐现象?

大海每天都会有涨潮和落潮的现象,科学家把这种现象叫做潮汐。为什么会有潮汐呢?产生潮汐的主要原因是月球对地球的吸引力。月球时刻绕着地球旋转,对地球产生引力,使海洋的水位发生变化。水位上升形成涨潮,下降形成退潮。由于引力的作用,海水每天

退潮时的海岸

涨潮时,港口内的水位会比平常高,可以避免大吨位的船只搁浅或触礁,所以人们一般在涨潮的时候出海。

太阳、月亮和潮汐

三者成一条直线时,高潮最高,低潮最低。

三者从不同方向吸引地球时,潮汐不高也不低。

太阳

月球作用于海洋的拉力比太阳拉力强烈。当这两个天体和地球排成一条线时，它们的联合力量就可以制造高潮。

第1天，新月时的大潮。

第7天，上弦月时的小潮。

高潮标志

太阳引力

月球

第14天，满月时的大潮。

第21天，下弦月时的小潮。

月球引力

第28天，新月大潮。

白天海水的涨落叫"潮"，晚上叫"汐"。

dōu huì zhǎng luò liǎng cì　　dāng dì qiú　　yuè
都会涨落两次。当地球、月

liang hé tài yáng pái chéng yì tiáo zhí xiàn shí
亮和太阳排成一条直线时，

yuè qiú hé tài yáng duì dì qiú de yǐn lì
月球和太阳对地球的引力

jiā le zài yì qǐ　　jiù néng shǐ hǎi shuǐ xíng
加了在一起，就能使海水形

chéng gèng gāo de hǎi cháo
成更高的海潮。

wèi shén me hǎi shuǐ měi tiān dōu yào zhǎng luò liǎng cì　ne
为什么海水每天都要涨落两次呢？

yuè liang rào dì qiú yì zhōu dà yuē xū yào yì tiān de shí jiān　suǒ yǐ zài yì zhòu yè zhī
月亮绕地球一周大约需要一天的时间，所以在一昼夜之

jiān dà bù fen hǎi shuǐ yǒu yí cì miàn xiàng yuè liang　yí cì bèi duì yuè liang　miàn xiàng hé bèi
间大部分海水有一次面向月亮，一次背对月亮。面向和背

duì yuè liang shí　hǎi shuǐ gè zhǎng luò yí cì　zhè yàng　hǎi shuǐ měi tiān dōu yào zhǎng luò
对月亮时，海水各涨落一次。这样，海水每天都要涨落

liǎng cì
两次。

钱塘江大潮是中国最壮观的潮汐。

山脉是怎么"长"出来的？

安第斯山脉科迪勒拉山系是世界上最长的山系。

在陆地上，有些山常常成组地沿着一定的方向有规律地延伸，就像人身上的脉络一样，我们把这些山称做"山脉"。高耸在地球上的山脉是怎么"长"出来的呢？在地球演变的过程中，组成地壳的各个板块相互

连续的多条山脉可以组成庞大的山系。

山脉具有明显的走向。

从褶皱山的断面可以看到山体的隆起岩层。

pèng zhuàng hé jǐ yā shǐ bǎn kuài de
碰撞和挤压，使板块的
biān yuán bù fen zhú jiàn wān qū biàn xíng
边缘部分逐渐弯曲变形，
yě jiù shì fā shēng zhě zhòu xiàng shàng
也就是发生褶皱。向上
lóng qǐ de bù fen xíng chéng le shān lǐng
隆起的部分形成了山岭，
xiàng xià wān qū de bù fen xíng chéng le shān gǔ shān mài jiù zhè
向下弯曲的部分形成了山谷，山脉就这
yàng zhǎng chu lai le xǐ mǎ lā yǎ shān mài jiù shì ōu
样"长"出来了。喜马拉雅山脉就是欧
yà bǎn kuài hé yìn dù yáng bǎn kuài xiāng hù pèng zhuàng xíng chéng de
亚板块和印度洋板块相互碰撞形成的。

shān mài kě yǐ biàn ǎi ma
山脉可以变矮吗？

kě yǐ shān tǐ de yán shí yí dàn bào lù jiù huì shòu dào fēng huà
可以。山体的岩石一旦暴露，就会受到风化
qīn shí bìng bèi shuǐ bīng hé fēng suǒ bān yí zài jiā shàng yán shí zì shēn
侵蚀，并被水、冰和风所搬移。再加上岩石自身
de chén jī zuò yòng shān tǐ gāo dù jiù huì màn màn jiàng dī tóng shí qīn
的沉积作用，山体高度就会慢慢降低。同时，侵
shí zuò yòng hái kě yǐ chōng chū xiá gǔ ní shā hái kě yǐ duī jī chéng
蚀作用还可以冲出峡谷，泥沙还可以堆积成
chōng jī zhuī
冲积锥。

高山的形成过程

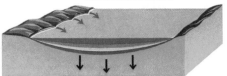

来自大陆的沉积物在浅海底部堆积形成地层。

地球内部的岩浆活动使海底的堆积物喷出地表，形成火山。

这一地区经地壳运动逐渐形成褶皱或断层等构造，进一步形成了隆起的高地。

再经过反复的造山运动，终于形成很高的山脉。

冰川

这是冰川流过后的地表。

为什么冰川会移动？

冰川是由大气固体降水经过多年积累而成的，它在地表长期存在，还能够移动呢。这是为什么啊？其实，冰川的形成是与寒冷的气候条件密切相关的。在气候寒冷的两极地区和高山地区，降水都以固体

飘雪

雪(含85%～90%的空气)

冰粒(空气含量30%～85%)

雪粒(空气含量20%～30%)

蓝冰(空气含量低于20%)

冰川冰的形成

冰山雪崩

冰川是地球上重要的淡水资源。

jiàng shuǐ wéi zhǔ　　ér gù tǐ jiàng shuǐ jué
降水为主，而固体降水绝

dà bù fen yǐ xuě de xíng shì chū xiàn
大部分以雪的形式出现。

yīn wèi gāo hán　xuě zhēng fā xiāo róng hěn
因为高寒，雪蒸发消融很

shǎo　　jiù zhè yàng　xuě yuè jǐ yuè duō
少。就这样，雪越积越多，

zuì hòu jiù biàn chéng le bīng　zhè xiē hòu
最后就变成了冰。这些厚

冰川将这块岩石搬运到此地，并将它沉积到一块较年轻的岩石上。

hòu de bīng xuě zài zhòng lì de zuò yòng xià　cóng gāo chù xiàng dī chù huǎn huǎn
厚的冰雪在重力的作用下，从高处向低处缓缓

de liú dòng　zhěng gè bīng chuān jiù huì yí dòng qi lai
地流动，整个冰川就会移动起来。

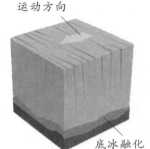

运动方向

底冰融化

底冰滑动

冰川运动的方式

冰 川 移 动 得 快 吗？
bīng chuān yí dòng de kuài ma

bīng chuān bù tóng bù wèi de yí dòng sù dù shì bù yí yàng de　biān yuán bù wèi yí
冰 川 不同部位的移动速度是不一样的，边 缘 部位移

dòng de màn　zhōng jiān bù wèi zé yí dòng de kuài xiē　dàn zǒng tǐ lái shuō　bīng chuān yí
动得慢，中间部位则移动得快些。但总体来说，冰 川 移

dòng de sù dù hěn màn　měi tiān zhǐ yǒu jǐ lí mǐ　zuì duō yě bú guò shù mǐ。rú zhū
动的速度很慢，每天只有几厘米，最多也不过数米。如珠

mù lǎng mǎ fēng běi pō de róng bù bīng chuān　nián liú sù wéi　mǐ　cǐ wài　bīng
穆朗玛峰北坡的绒布冰川，年流速为117米。此外，冰

chuān yí dòng de sù dù hái hé dì xíng pō dù yǒu zhí jiē guān xì
川移动的速度还和地形坡度有直接关系。

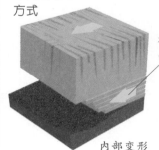

相互滑动的冰层

内部变形

为什么河流是弯曲的？

如果细心观察，你会发现河流总是弯曲的，这是怎么回事呢？原来，河流在行进过程中，总会遇到各种各样的阻碍。如果河岸比较容易破坏，水流就会冲开河岸，向前奔流；如果河岸比较

黄河九曲十八弯

世界上流量最大的河流——亚马孙河

> 我来模仿一下河流的形状造一条小河。

NO.1
常流河全年都有水流，常见于降雨充沛的地区。

NO.2
季节河仅在雨季有水流，地中海国家季节河较多。

NO.3
暂时河通常是干涸的，许多沙漠河流都是暂时河。

jiān gù shuǐ liú jiù děi rào zhe hé àn qián jìn le suǒ
坚固，水流就得绕着河岸前进了。所

yǐ zhěng tiáo hé liú kàn qǐ lai zǒng shì wān wān qū qū
以，整条河流看起来总是弯弯曲曲

de hé liú de wān qū yě shuō míng le hé shuǐ
的。河流的弯曲，也说明了河水

de jù dà lì liàng cháng jiāng zài jiāng hàn píng yuán
的巨大力量。长江在江汉平原

xíngchéng de jiǔ qū huí cháng jiù shì hé shuǐ rì
形成的"九曲回肠"就是河水日

yè chōng shuā qīn shí de jié guǒ
夜冲刷侵蚀的结果。

尼罗河是古埃及文化
的摇篮。

金沙江

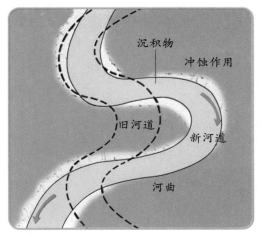

河曲的形成

沉积物
冲蚀作用
旧河道
新河道
河曲

wèi shén me shuō hé liú shì shì jiè wén míng de fā yuán dì
为什么说河流是世界文明的发源地？

hé liú shì rén lèi lài yǐ shēng cún de zhòng yào dàn shuǐ shuǐ tǐ dà hé
河流是人类赖以生存的重要淡水水体。大河

xià yóu de tǔ dì tǔ rǎng féi wò guàn gài biàn lì yǒu lì yú nóng yè de
下游的土地，土壤肥沃、灌溉便利，有利于农业的

fā zhǎn suǒ yǐ chéng wéi rén lèi de jù jí dì zhī yī shì jiè wén míng fā
发展，所以成为人类的聚集地之一。世界文明发

yuán yú hé liú qū yù yě jiù bù zú wéi qí le
源于河流区域，也就不足为奇了。

盆地是"挖"出来的吗？

构造盆地是由地壳运动产生的。

盆地是一种四周高、中间低的陆地地貌，看起来像一个大盆。这个大盆到底是怎样被"挖"出来的呢？事实上，盆地是在各种自然力的共同作用下形成的。由于地壳的构造运动而形成的盆地，叫做构造盆地。例如，地壳断层陷落，

盆地的形状真像个盆子。

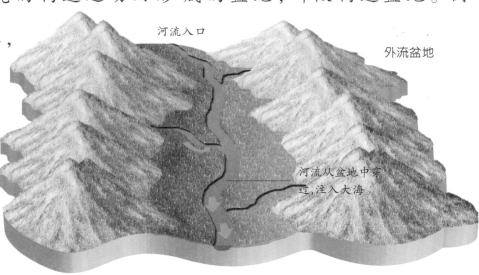

河流入口

外流盆地

河流从盆地中穿过，注入大海。

河水由山区流入盆地。

河流最终流入封闭的终端湖。

盆地周围环绕着高山。

内流盆地

jiù huì xíng chéng duàn xiàn pén dì　dà guī mó de huǒ shān pēn
就会形成断陷盆地，大规模的火山喷

fā hòu　jiù huì xíng chéng huǒ shān kǒu pén dì　nà xiē yīn
发后，就会形成火山口盆地。那些因

wèi liú shuǐ　fēng děng qīn shí zuò yòng ér
为流水、风等侵蚀作用而

xíng chéng de pén dì　jiào zuò qīn shí
形成的盆地，叫做侵蚀

pén dì　rú zài hé liú bú duàn chōng
盆地，如在河流不断冲

shuā xià xíng chéng de hé gǔ pén dì
刷下形成的河谷盆地。

山间盆地是山区常见的面积较小的盆地。

di qiú shang zuì dà de pén dì yǒu duō dà
地球上最大的盆地有多大？

dì qiú shang zuì dà de pén dì zài dōng fēi dà
地球上最大的盆地在东非大

lù de zhōng bù　jiào gāng guǒ pén dì huò zhā yī
陆的中部，叫刚果盆地或扎伊

ěr pén dì　tā de miàn jī yǒu　wàn píng fāng
尔盆地。它的面积有337万平方

qiān mǐ　dà yuē xiāng dāng yú jiā ná dà lǐng tǔ
千米，大约相当于加拿大领土

miàn jī de　ne
面积的1/3呢。

沙漠是怎样出现的？

沙漠占陆地总面积的1/10。

沙漠一望无际，常年被大量的沙子覆盖着，它是怎么形成的呢？原来，沙漠地区气候干燥，降雨量少，日照强烈，水分蒸发得快，昼夜温差大。地面上的岩石在这种条件下，经历热胀冷缩的变化和风化作用，破碎成细小的沙粒。风把大量的沙粒吹

骆驼被称为"沙漠之舟"。

沙丘是最典型的沙漠景观。

全世界沙漠分布图

chéng yì duī xíng chéng shā qiū shā lì zài màn màn duī jī jiù
成一堆，形成沙丘；沙粒再慢慢堆积，就

xíng chéng le dà piàn de shā mò lìng wài dì qiào biàn huà huì shǐ
形成了大片的沙漠。另外，地壳变化会使

hú pō jí hé liú xiāo shī lù chū yuán lái de ní shā dǐ bù zhè
湖泊及河流消失，露出原来的泥沙底部，这

xiē ní shā yě huì màn màn xíng chéng shā mò
些泥沙也会慢慢形成沙漠。

沙漠中的骆驼刺

沙漠和荒漠是一样的吗？
shā mò hé huāng mò shì yí yàng de ma

bù yí yàng huāng mò zhōng jiàng shuǐ liàng shǎo ér zhēng fā liàng dà zhí
不一样。荒漠中降水量少而蒸发量大，植

bèi xī shū dì miàn de wù zhì gòu chéng bǐ jiào cū jí huāng mò de wài mào
被稀疏，地面的物质构成比较粗瘠。荒漠的外貌

duō zhǒng duō yàng bāo kuò shā mò lì mò yán mò děng qí zhōng shā mò shì
多种多样，包括沙漠、砾漠、岩漠等，其中沙漠是

zuì cháng jiàn de yì zhǒng huāng mò
最常见的一种荒漠。

沙漠地貌

平顶山

干河谷是水流
的渠道。

支柱岩石

侵蚀形成的拱门

纵向沙丘

新月形沙丘

星形沙丘

横向沙丘

绿洲

为什么沙漠中有绿洲？

沙漠中的绿洲

沙漠里也有绿树成荫的地方，那里就是绿洲。干旱少雨的沙漠怎么会有绿洲呢？原来，夏天来临时，高山上的冰雪就会融化，顺着山坡流淌下来，从而形成河流。河水流经沙漠，便渗入沙漠深处变成地下水。地下水流到沙漠的低洼地带，涌出地面，形成泉水，或者沿着不透水的

雨水降落在山上。

雨水渗入到多孔的地下岩石中。

自流泉

绿洲的形成

凹地里的水

绿洲

断层

撒哈拉沙漠东部地下水资源丰富。

沙漠绿洲中植物较多。

yán céng liú zhì dī wā dì dài hòu yǔ lái zì yuǎn
岩层流至低洼地带后，与来自远
fāng de yǔ shuǐ zài dì xià huì hé yán zhe yán céng
方的雨水在地下汇合，沿着岩层
liè xì chōng chū dì miàn yǒu le shuǐ gè zhǒng shēng
裂隙冲出地面。有了水，各种生
wù jiù kě yǐ shēng cún
物就可以生存，
yě jiù xíng chéng le lù zhōu
也就形成了绿洲。

沙漠中的绿洲
有我的小花园
漂亮吗？

shā mò li kě yǐ zhòng zhí nóng zuò wù ma
沙漠里可以种植农作物吗？
kě yǐ shā mò li de lù zhōu shuǐ yuán fēng fù
可以。沙漠里的绿洲水源丰富，
tǔ rǎng féi wò fēi cháng shì hé nóng zuò wù shēng zhǎng
土壤肥沃，非常适合农作物生长。
yì xiē jiào dà de lù zhōu zhōng nóng mín huì zhòng zhí liáng
一些较大的绿洲中，农民会种植粮
shi zuò wù suǒ yǐ zhè xiē lù zhōu wǎng wǎng chéng wéi nóng
食作物，所以这些绿洲往往成为农
yè fā dá hé rén kǒu jí zhōng de jū mín qū
业发达和人口集中的居民区。

沙漠里的生物群落

为什么有的沙子会"唱歌"？

据说世界上许多地方的沙子都会"唱歌"，这是为什么呢？科学家认为，这种鸣沙现象是与当地的气候有密切联系的。

干燥的天气和阳光的照射会使沙子带电。

风刮起来时，沙子之间相互撞击，就会产生放电现象，同时发出响声。

我也想听听沙子的美妙歌声。

鸣沙落日

骆驼队在鸣沙山上缓缓而行。

第 **4** 章

风云变幻的气象

地球上的气象情况让人捉摸不透,如大气就像衣服一样,能为地球表面保温;在同一地区,山上比山下冷;不同形状的云彩会带来不一样的天气……大自然的万千气象是怎么形成的? 在这一章里,你马上就会找到答案。

为什么地球上会有各种气候？

热带雨林气候常年高温。

热带雨林中的青蛙

地球上的气候，总是有冷有暖、有干有湿，并且冷、暖、干、湿交替地变化着。为此，科学家把地球上的气候分成各种类型，如热带气候、暖温带气候、寒带气候等。那么，为什么地球上会有各种不同的气候呢？这是因为不同地区的气温、降水、太阳辐射、植被分布等状况都有所差别。不同类型的气候特征正是通过该地区的气温、降水

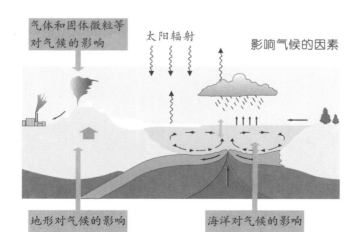

气体和固体微粒等对气候的影响

太阳辐射

影响气候的因素

地形对气候的影响

海洋对气候的影响

děng de duō nián píng jūn zhí fǎn yìng chu lai de
等的多年平均值反映出来的。

qì hòu yǔ tiān qì shì yì huí shì ma
气候与天气是一回事吗？

qì hòu yǔ tiān qì bú shì yì huí shì　qì hòu zhǐ de shì mǒu yī dì
气候与天气不是一回事。气候指的是某一地
fang duō nián de tiān qì tè zhēng　shì duì tiān qì de gài kuò　ér tiān qì
方多年的天气特征，是对天气的概括。而天气
shì mǒu yī dì qū yí duàn shí jiān nèi gè zhǒng qì xiàng de biàn huà　bǐ rú
是某一地区一段时间内各种气象的变化，比如
wēn dù　shī dù　qì yā　jiàng shuǐ　fēng　yún děng de qíng kuàng
温度、湿度、气压、降水、风、云等的情况。

热带季风气候中的雨季

处于干燥气候的
地区降水稀少。

凉爽气候区夜间
经常有霜冻。

下雨指的是天气。

地中海式气候比
较温和。

为什么大气能保温？

大气似乎是一条毛毯，包住了整个地球，使地球就好像处在一个温室中。

白天，太阳发出强烈的短波辐射，大气能让这些短波光通过，到达地球表面，使地表增温。晚上，没有了太阳辐射，地球表面向外辐射热量。因为地表的温度不高，所以地表辐射以长波辐射为主，而这些长波辐射又恰恰是大气不允许通过的，所以地表热量不会丧失

不同的大气层对太阳电磁波的吸收状态不尽相同。

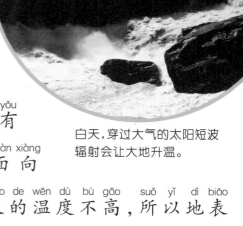

白天，穿过大气的太阳短波辐射会让大地升温。

tài duō dì biǎo wēn dù
太多，地表温度

yě bú huì jiàng de tài
也不会降得太

dī zhè yàng dà qì
低。这样，大气

jiù qǐ dào le bǎo wēn
就起到了保温

zuò yòng
作用。

晚上的时候，大气
会阻挡地表向外的
长波辐射。

dì qiú shang suǒ yǒu dì fang jiē shòu de tài yáng fú shè
地球上所有地方接受的太阳辐射

dōu yí yàng ma
都一样吗？

bù yí yàng dì qiú de xíng zhuàng jué dìng le dì miàn gè
不一样。地球的形状决定了地面各

chù suǒ jiē shòu de tài yáng zhào shè liàng yǒu suǒ bù tóng shòu guāng
处所接受的太阳照射量有所不同，受光

miàn yuè qīng xié rì shè liàng yuè shǎo chì dào dì qū de rì shè
面越倾斜，日射量越少。赤道地区的日射

liàng jiào duō yuè wǎng liǎng jí dì qū jiù yuè shǎo
量较多，越往两极地区就越少。

太阳热

太阳热　　温带

寒带

太阳热　　热带

太阳热　　温带

太阳热　　寒带

以相同面积所受的热比较，在热带、温带和寒带接受太阳热的比例各不相同。

大气就像我们
的棉衣一样，
可以保温。

97

为什么山上的气温比地面低?

为什么离太阳较近的山上却比山下冷呢?其实,地球离太阳太远了,山上与山下离太阳的距离差别可以忽略不计。大气的温度高低主要受地面释放热量的影响。所以,山顶的海拔越高,离地面越远,大气获得的地面辐射热量就越少,气温也就越低。

雪山上的冰川地貌

山下生机盎然,山上白雪皑皑。

爬到高高的山上后,我感觉好冷啊!

山越高,山顶的气温就越低。

为什么晴空是蔚蓝色的?

wèi shén me qíng kōng shì wèi lán sè de

我们知道，空气是无色的，那为什么晴空是蔚蓝色的呢？这是因为太阳光中的赤、橙、黄、绿四种颜色的光波能迅速穿过大气层到达地面。而蓝、靛、紫色的光容易被空气中的微粒阻挡，向四面八方散射，其中蓝光散射最厉害，所以我们就会看到晴空呈现蔚蓝色。

天空的亮度会随着高度的增加而变暗。

我一直不明白，为什么晴空是蔚蓝色的。

晴朗的天空总是呈现蔚蓝色。

780毫微米				550毫微米					380毫微米	
红色	橙色	橙黄色	黄色	黄绿色	绿色	蓝绿色	蓝色	紫蓝色	紫色	紫红色

光谱

为什么可以看云识天气？

天上的云色彩多变，形状不定，有经验的人可以根据云的状态来预测天气情况。如积雨云到来时，常常会产生雷电、大风、降水。为什么云可以预示天气的情况呢？实际上，云是太阳、空气、水、风等因素共同作用的结果。不同的大气气流、潮湿程度等状况会形成不同外形的云，因此，云的形态是当时大气状态的表现。人们通过观察云的种类和移动情形等，就可以了解大概的天气特征了。

卷云

卷积云

卷层云

高积云

积云是像棉花糖一样的云。

红色的云

云盏

我们到高空中去看看多变的云彩！

积雨云

积云

雨层云

云层

各种类型的云

有了云,天空显得更加明媚多姿。

壮观的云海

yún shì zěn me xíng chéng de ne
云是怎么形成的呢？

cháo shī kōng qì shàng shēng dào yí dìng gāo dù shí　jiù huì yǔ
潮湿空气上升到一定高度时,就会与

kōng qì zhōng de zá zhì jié chéng xiǎo shuǐ dī　shuǐ dī yuè lái yuè duō
空气中的杂质结成小水滴,水滴越来越多,

bèi shàng shēng de kōng qì qì liú tuō zài kōng zhōng　jiù xíng chéng le
被上升的空气气流托在空中,就形成了

wǒ men kàn de jiàn de yún
我们看得见的云。

云的形成过程

1500 米

气温 15℃
湿度 100%

气压变低。

凝结高度

1000 米

气温 21℃
湿度 70%

冷却变得较潮湿,但未形成云。

500 米

气温 26℃
湿度 50%

气温 30℃
湿度 40%

较干的空气

地面

101

tiān shang wèi shén me huì xià yǔ
天上为什么会下雨?

下雨的感觉真棒!

云和雨滴的大小

—云滴 0.02 毫米
●雾滴 0.15 毫米
—毛毛雨 0.5 毫米
—小雨 1 毫米
中雨 2 毫米
雷阵雨 3 毫米

云和雨滴的下落速度

雾雨 50 厘米/秒
毛毛雨 2.2 米/秒
小雨 4 米/秒—
中雨 6.2 米/秒—
雷阵雨 7.8 米/秒—

yě xǔ nǐ yǐ jīng zhù yì dào
也许你已经注意到
le yǔ lái lín qián tiān kōng zhōng
了,雨来临前,天空中
wǎng wǎng jí jù le xǔ duō yún kàn lái yǔ yǔ
往往集聚了许多云。看来,雨与
yún de guān xì hěn mì qiè dí què rú cǐ wǒ
云的关系很密切。的确如此。我
men zhī dào yún shì yóu xǔ duō yī fù zài kōng qì
们知道,云是由许多依附在空气
zá zhì shang de xiǎo shuǐ dī zǔ chéng de nà me yǔ
杂质上的小水滴组成的,那么雨

春雨过后,人们正忙于插种秧苗。

是怎么形成和降落的呢？原来，当云层中的小水滴凝结成足够大的雨滴时，便无法继续飘浮在空中，于是在重力的作用下落下来，就形成了降雨。实际上，凝结只是形成雨滴的过程之一，在大部分中纬度地区，雨滴是在含冰水混合物的云层中生成的。

对流雨是由上升的温暖湿空气形成积雨云后引起的雨。

空气被抬升到山顶时容易形成地形雨。

空气沿着冷锋和暖锋面上升时容易形成锋面雨。

暴雨中逗留于空地上的人有被雷击的危险。

雨水能直接喝吗？

雨水在降落过程中，会粘上空气中的烟尘，还有可能带上某些细菌。另外，城市中的污染可以造成酸雨，其中有很多有害化学物。所以说，雨水是非常不干净的，千万不要直接饮用。

雷电是怎么产生的？

富兰克林用风筝引雷电。

雷电常常随着暴雨而来，向大地"发威"。那么，天上为什么会产生雷电呢？它们和雨有什么关系呢？原来，闪电常发生在积雨云中，云中的不同成分相互摩擦使云层带上了电。当电量积累到一定程度时，就会在云层内部释放出来，也有一部分击穿云层，在云与地面之间释放出来，形成耀眼的闪电。云层在放电的同时，也会释放出很多的热量，使周围的空气很快受热膨胀，并发出很大的声音，这就是雷声。

链状闪电

片状闪电

闪电的发生过程

带状闪电

闪电和雷同时发生。

雷电很大有破坏力。

雷雨云在形成过程中，较轻的冰晶粒子上升最快，在上升过程中它们之间相互碰撞摩擦，成为正离子。

闪电平均最高电流约3万安培，但是一些超级闪电可达30万安培。

雷电放电时，在附近导体上产生的静电感应和电磁感应能使金属部件之间产生火花。

较重的冰晶粒子在气流运动过程中成为负离子。

人们通常把发生闪电的云称为雷雨云。

雷雨云在形成过程中，气流呈强烈的垂直对流状态。上升气流将水汽凝结成雾滴，雾滴越聚越多，继而形成了云。

当正负电荷积聚到一定程度，就会在云与云之间或云与地之间发生放电。

为什么雨后会出现彩虹？

大雨过后，有时我们会看见一条美丽的彩虹，像七彩的桥一样横跨在空中。彩虹是从哪里来的呢？我们知道，太阳光中包含着红、橙、黄、绿、蓝、靛、紫七种颜色的光。在雨后放晴的时候，天空中仍残留着一些小水珠，白色的阳光就会被小水珠折射和反射。由于不同颜色的光有不同的折射率，所以它们通过水珠时会被反射到稍微不同的方向，这样，各种颜色的光就分散出来，形成了五颜六色的彩虹。

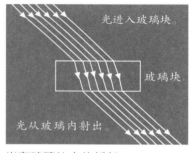

光在玻璃块中的折射

在飞机上我们可以看到环形彩虹。

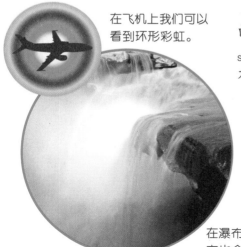

在瀑布等水汽密集的地方也会出现彩虹。

xià guò yǔ hòu dōu kě yǐ chū xiàn cǎi hóng ma
下过雨后都可以出现彩虹吗？

cǎi hóng de chū xiàn jì yào tiān kōng zhōng yǒu dà liàng de xiǎo
彩虹的出现既要天空中有大量的小

shuǐ zhū yòu yào yǒu qiáng liè de tài yáng guāng xià jì de yǔ dī
水珠，又要有强烈的太阳光。夏季的雨滴

hěn dà yǔ guò tiān qíng kōng zhōng huì xuán fú zhe dà liàng de xiǎo
很大，雨过天晴，空中会悬浮着大量的小

shuǐ zhū suǒ yǐ cháng jiàn cǎi hóng rú guǒ yǔ hòu méi yǒu dà liàng
水珠，所以常见彩虹。如果雨后没有大量

de xiǎo shuǐ zhū hé qiáng liè de yáng guāng wǒ men jiù bú huì jiàn
的小水珠和强烈的阳光，我们就不会见

dào cǎi hóng
到彩虹。

太阳光是由红、橙、黄、绿、蓝、靛、紫七种色光组成的，通过三棱镜，我们会看到这七种颜色的光。

雨后彩虹

美丽多姿的彩虹

我来给漂亮的彩虹画幅画吧！

雨后的彩虹就像一座彩桥。

为什么夏天会下冰雹？

近地面产生的大量暖湿空气在上升过程中，与上层的冷空气发生强烈的对流。这样，在空气中就形成了厚厚的云，云层中的水滴在对流的低温下冻结成了冰晶，水滴再冻结在冰晶表面，就形成了冰雹。冰雹越变越大，直到云再也撑不住时，就掉到地面上了。

冰雹看上去就像个玻璃球。

冰雹常会砸坏一些植物，破坏花朵和果实。

雹块是由水滴和冰晶凝结而成的。

为什么雪花有六个瓣?
wèi shén me xuě huā yǒu liù gè bàn

雪花是由雪晶形成的。

我们都知道雪花有六个瓣!

下雪的时候,如果你把雪花放在放大镜下观察,就会发现雪花的形态多种多样,不过它们都有六个瓣。

原来,形成雪花的小冰晶都是天然的六角形颗粒,所以雪花都有六个瓣。

不过小冰晶在降落过程中,周围的水汽有多有少,这就使雪花变化出了不同的形态。

各种形状的雪花

雾是如何形成的？

在大雾天不能打棒球，因为你看不清球的方向。

在天气较冷的时候，我们出门时常常发现自己看不清远处的物体，这是雾在作怪。雾是怎么形成的？为什么它能阻挡我们的视线呢？如果用冰块从上部接近装有少量水的瓶口，冰块下面的空气受冷下降到瓶内，使瓶内气温降低，瓶内水面以上便会出现"白气"。雾的形成就和"白气"的形成道理一样，也是水蒸气受冷凝结而

美丽的雾凇是在冬季有雾的条件下形成的。

雾中含有部分可吸入的污染物。

雾景

冬天湖面上经常会形成蒸汽雾。

chéng de　　　wù yóu dà　qì zhōng wú shù wēi xiǎo de shuǐ dī　hé bīng

成 的 。雾 由 大 气 中 无 数 微 小 的 水 滴 和 冰

jīng zǔ chéng　　zhè xiē xiǎo shuǐ dī　huò bīng jīng xuán fú　zài　jìn　dì miàn

晶 组 成 ，这 些 小 水 滴 或 冰 晶 悬 浮 在 近 地 面

de　dà　qì céng zhōng　kě　yǐ　shǐ kōng qì hùn zhuó　néng jiàn dù jiàng dī

的 大 气 层 中 ，可 以 使 空 气 混 浊 ，能 见 度 降 低 。

辐射雾

雾中的有害物
质会危及人体。

平流雾

雾

暖湿的空气

冷水面

wù yǒu wēi hài ma
雾有危害吗?

wù tiān bú　lì　yú kōng qì zhōng wū rǎn wù de kuò sàn　　wù zhōng de shuǐ zhēng qì　yì　xī　fù

雾 天 不 利 于 空 气 中 污 染 物 的 扩 散 ，雾 中 的 水 蒸 气 易 吸 附

dà liàng de wū rǎn wù　shǐ kōng qì zhì liàng xià jiàng　　xī rù hòu duì rén tǐ yǒu hài　　nóng zuò wù

大 量 的 污 染 物 ，使 空 气 质 量 下 降 ，吸 入 后 对 人 体 有 害 。农 作 物

rú shuǐ guǒ　shū cài zài shēng zhǎng guò chéng zhōng zhān fù shàng yǒu hài wù dī　huì

如 水 果 、蔬 菜 在 生 长 过 程 中 粘 附 上 有 害 雾 滴 ，会

shǐ guǒ shí shang zhǎng bān diǎn　cù jìn méi jūn de shēng zhǎng　zài wù tiān　gōng lù

使 果 实 上 长 斑 点 ，促 进 霉 菌 的 生 长 。在 雾 天 ，公 路

jiāo tōng　　fēi xíng háng yùn děng dōu　huì shòu dào yán zhòng yǐng xiǎng

交 通 、飞 行 航 运 等 都 会 受 到 严 重 影 响 。

"海市蜃楼"是怎么形成的?

在天气炎热的大白天,人们乘船在海上航行时,有时会突然发现海面上空隐隐现出一座高楼。古代人曾经以为那座高楼是传说的天宫。其实呀,那座高楼是一种幻象,并不是真实存在的。它只是光与大气相互作用产生的一种现象,被科学家称作"海市蜃楼"。那么,"海市蜃楼"究竟是怎么形成的呢?原来,

当阳光穿过高空和靠近地面不同温度的空气层时,就会发生折射和反射,传播方向随之发生变化。当这些已经改变方向的光线进

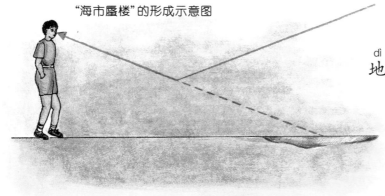

"海市蜃楼"的形成示意图

rù wǒ men de yǎn jing shí wǒ men
入我们的眼睛时，我们

jiù kàn dào le dì miàn yǐ xià huò yuǎn
就看到了地面以下或远

chù wù tǐ de yǐng xiàng zài hǎi miàn
处物体的影像。在海面、

dà hú hú miàn dà jiāng jiāng miàn hé
大湖湖面、大江江面和

shā mò shā miàn shàng kōng cháng cháng
沙漠沙面上空，常常

chū xiàn hǎi shì shèn lóu de huàn xiàng
出现"海市蜃楼"的幻象。

出现在沙漠中的"海市蜃楼"就像水中的倒影。

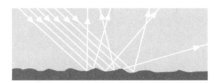
光的反射

海面上空的"海市蜃楼"

hǎi shì shèn lóu zài shā mò shàng kōng hé hǎi miàn
"海市蜃楼"在沙漠上空和海面

shàng kōng fēn bié chéng xiàn shén me yǐng xiàng
上空分别呈现什么影像？

hǎi shì shèn lóu jǐng xiàng zài shā mò shàng kōng chéng
"海市蜃楼"景象在沙漠上空呈

xiàn yuǎn chù wù tǐ de dào yǐng ér zài hǎi miàn shàng kōng
现远处物体的倒影，而在海面上空

zé chéng xiàn yuǎn chù wù tǐ de zhèng yǐng tā men dōu shì
则呈现远处物体的正影。它们都是

yóu yú guāng de fǎn shè hé zhé shè zuò yòng zào chéng de
由于光的反射和折射作用造成的。

图书在版编目(CIP)数据

神奇的宇宙／龚勋主编. —汕头：汕头大学出版
社，2011.9
（我的第1套十万个为什么）
ISBN 978-7-5658-0303-1

Ⅰ．①神… Ⅱ．①龚… Ⅲ．①宇宙—儿童读物 Ⅳ.
①P159-49

中国版本图书馆 CIP 数据核字(2011)第 177332 号

总 策 划	邢 涛		**开 本**	889mm×1194mm　1/24
主 编	龚 勋		**印 张**	20
责任编辑	胡开祥		**字 数**	150 千字
责任技编	姚健燕		**版 次**	2011 年 9 月第 1 版
文字编辑	钱 丹　杜富中　陈 波		**印 次**	2011 年 9 月第 1 次印刷
装帧设计	欧 娟　孟 娜		**定 价**	198.00 元(全四册)
出版发行	汕头大学出版社		**书 号**	ISBN 978-7-5658-0303-1
	广东省汕头市汕头大学内			
邮 编	515063			
电 话	0754-82903126			
印 刷	北京楠萍印刷有限公司			

● 发行:广州发行中心　通讯邮购地址:广州市越秀区水荫路 56 号 3 栋 9A 室　邮编:510075
电话:020-37613848　传真:020-37637050